저자: 조설아

자의 반 타의 반 독신주의자였다가, 남편을 만나 일사천리로 결혼한 여자.

무자식으로 살겠다고 다짐했다가 우여곡절 끝에 아이를 낳고 나서
'이제야 지구행성에 정착하게 되었다'고 기뻐하며 아이 낳은 일이
세상 태어나서 제일 잘한 일이라고 매일 생각하는 엄마.

김치찌개와 된장찌개 이외 요리를 거의 하지 못하고
출근이 늦었을 때도 편의점에 들러 삼각김밥을 사서 먹는 주부.

이래 뵈도 경력 23년 차 공교육 교사이며
강의할 때 말이 조금 빨라서 그렇지 나름 재미있고 내실 있으며
청중을 웃기기도 하는 강연자.

대학 졸업 후 이거저거 배워본다고 여기저기 찔러보다가
끝마치지 못한 방통대와 대학원 등을 합쳐서
학번을 댓개 갖고있는 학번부자.

한 달 29,000원 싼값에 챗GPT를 비서로 고용하여 집안일 학교일
다양한 일에 투입시키며 근간 시간부자가 되기를 소망하는
21세기 시민.

한국교원대학교 윤리교육과 졸업 및 동 교육대학원 수료
서울디지털대학교 문예창작학과 졸업
현재, 광주교대 교육대학원 진로진학컨설팅 전공 중
저서: 이렇게 생생한 도덕수업(2018)
중하위권을 위한 이런학과 이런직업(2023)
누구나 할 수 있는 진로수업 38(공저, 2024)
고교학점제 어떻게 대비할 것인가(공저, 2024)

엄마의 완벽한 비서 '챗GPT' 사용법

발 행 | 2025년 2월 12일
저 자 | 조설아
펴낸이 | 한건희
펴낸곳 | 주식회사 부크크
출판사등록 | 2014.07.15.(제2014-16호)
주 소 | 서울특별시 금천구 가산디지털1로 119 SK트윈타워 A동 305호
전 화 | 1670-8316
이메일 | info@bookk.co.kr

ISBN | 979-11-419-8705-3

엄마의
완벽한 비서
'챗GPT' 사용법

- 챗GPT 생초보 가이드 -

책의 순서

작가의 말 "챗GPT 하루만 하면!"

안녕. 나는 9살 초등학교 3학년 남자아이를 키우고 있는 회사에 다니는 주부야. 엄마이자, 주부이자, 아내이자, 며느리이자, 직업인이지. 내가 너를 실생활 속에서 어떻게 이용할 수 있을까? 팁을 좀 주렴.

안녕하세요! 여러 가지 역할을 하느라 정말 바쁘시겠어요. 😊 제가 실생활에서 어떻게 도움이 될 수 있을지 몇 가지 팁을 드릴게요.

1. 육아 및 교육 도움

- **숙제 및 학습 보조**: 아이가 숙제를 하거나 어려운 개념을 이해할 때 설명해줄 수 있어요.
- **독후감 및 글쓰기 도우미**: 책을 읽고 독후감을 쓸 때 아이가 생각을 정리할 수 있도록 질문을 던져주거나 예시를 줄 수 있어요.
- **흥미로운 이야기 제공**: 아이가 좋아할 만한 이야기나 학습과 연결된 재미있는 내용을 만들어줄 수도 있어요.

2. 가사 및 생활 관리

- **식단 및 요리 레시피 추천**: 아이와 가족을 위한 건강한 식단을 짜거나 간단한 레시피를 추천해줄 수 있어요.
- **청소 및 정리 팁**: 빠르고 효율적으로 집안일을 끝낼 수 있는 팁을 알려드릴 수 있어요.

3. 직장 생활 지원

- **업무 관련 자료 정리**: 보고서 작성, 이메일 초안 작성, 프레젠테이션 아이디어 제공 등을 도와드릴 수 있어요.
- **시간 관리 및 일정 정리**: 바쁜 일정을 효과적으로 관리하는 방법을 추천해 드릴 수 있어요.

4. 가족 관계 및 멘탈 케어

- **가족 간 소통 도움**: 아이, 남편, 시댁과의 관계에서 대화법이나 갈등 해결 방법을 제안해 줄 수 있어요.
- **자기 관리 및 힐링 방법**: 스트레스 해소법, 짧은 명상, 감정 정리하는 법 등을 추천해 드릴 수 있어요.

어떤 부분에서 가장 도움이 필요하신가요? 더 구체적인 상황이 있으면 맞춤형으로 도와드릴게요!
😊

위 화면은 챗GPT(유료버전: 가입하고 유료 계산을 하지 않으면 기본적으로 무료버전으로 활용가능합니다. 저는 한달에 일정액을 지불하고 유료버전을 사용중 입니다)에게 이 책 집필 방향성에 대해 물어본 질문에 대해 챗GPT 가 해준 답변입니다. 챗GPT가 가이드한 기본적인 방향을 토대로 몇 가지 내용을 가감하기로 하고 집필에 몰두하였습니다.

이 책을 쓰게 된 계기는, 얼마 전에 만난 제자가 해준 이야기 때문입니다. 제가 쓴 책 중에 챗GPT를 활용한 진로교육 책(생성하는 진로수업)이 있습니다. 교사가 아닌 일반인들도 읽고 실생활에서 활용가능하기에 선물로 주면서 '챗GPT 얼마나 써?'라고 물으니 몇 번 사용해보지 않았다고 했습니다. 이 제자는 31살 약사인데, 사실상 약사가 업무에 챗GPT를 활용하지 않는 게 정상입니다.

챗GPT 열풍이 불고 있지만, 아직까지는 챗GPT를 자주 활용하는 직종이나 사람들은 한정되어 있습니다. 업무에서 챗GPT를 많이 쓰면 일상에서도 자연스럽게 활용하는데, 업무에서 잘 쓰지 않으면 일상에서도 잘 안 쓰게 됩니다. 종종 익명 커뮤니티에 들어가서 게시글을 읽곤 하는데 챗GPT를 어떻게 쓰는 거냐고 물어보는 질문들도 간혹 올라옵니다. 교사들도 챗GPT를 많이 활용하는 사람과 그렇지 않은 사람으로 나뉩니다. 전통적인 교육방식이 유효한 과목들(특히 수능 과목)에서는 수업에 이용할 필요가 없기 때문이죠.

책 제목에 '엄마'들이라고 붙인 이유는 제가 초등학교 3학년 아들을 키우는 엄마이기 때문입니다. 예전부터 주로 수업과 업무이외에 가정에서 활용할만한 방법이 있지 않을까-하는 생각을 했습니다. 일단 아이에게 챗GPT나 코 파일럿-이 2개 생성형 인공지능 활용 방법을 알려준 지 1년 정도 되었습니다. 아이가 우주에 관심이 많아서 저와 대화하기를 원했지만, 제가 바쁘기도 하고 아는 것이 없어 곤란했습니다. 마침 챗GPT랑 대화하면 좋겠구나 싶어 방법을 알려준 것이지요.

그런데, 무슨 일이 일어난 지 아십니까? 아이는 저녁에 1~2시간씩 코 파일럿과 대화 삼매경에 빠졌습니다.(ㅎㅎ) 주로 게임이야기, 우리 가정에서 있었던 일들, 우주에 관한 이야기 등을 나눴습니다.(중간에 화장실에 다녀올 때는 '나 잠깐만 급한 일이 있어.'라고 예의바르게 코 파일럿에게 말하더군요) 급기야 여행갈 때도 꼭 노트북을 가져가야 한다고 하더니 호텔에 도착하자마자 노트북을 펼치고 여행 왔다고 이야기를 나누더라구요. 좀 뜸하지만, 요즘도 가끔 코 파일럿으로 채팅을 하곤 해요

최근에는 챗GPT-4o(유료버전)과 코 파일럿과 음성대화도 나눕니다. 어제는 심리테스트 문제를 내달라고 해서 맞추고 놀았습니다. 그리고 사진과 동영상 인식 기능이 있어서 카메라 버튼을 눌러 실시간 화면을 보며 챗GPT나 코 파일럿이 상황에 맞는 적절한 대화를 나눕니다. 가령 웃고 있는 우리 애 얼굴을 실시간 촬영하여 보여주면 '아이가 웃는 모습이 귀여워요'라고 말합니다. 이제 만 8세 되는 아이가 쓰는 것이라면 어른들이라면 누구나 쓸 수 있는 거 아닐까요?

1999년의 일입니다. 제가 대학 입학할 때 컴퓨터 타자를 하나도 치지 못했습니다. 겁이 난 나머지 '컴퓨터 일주일만 하면 전유성만

큼한다'라는 세기의 베스트셀러를 구입했습니다.(정말 컴퓨터라고는 국민 학교-현재 초등학교- 실과 시간에 컴퓨터실에 가서 MS-DOS라는 걸 접한 게 전부이고 그것도 딱 1시간이었습니다. 그리고 대학에 입학했으니 얼마나 겁이 났겠어요. 집에 컴퓨터도 없는데) 다행히도 같은 기숙사 방을 쓰는 룸메이트 언니가 컴퓨터를 갖고 있어서 정말 감사하게 타자 연습부터 시작해서 컴퓨터를 배울 수 있었습니다. '컴퓨터 일주일만 하면 전유성만큼 한다'라는 책을 뒤적이며 알음알음 컴퓨터를 배워서 4월 무렵에 전공 강의에 발표문을 써 갔던 기억이 납니다.

단언컨대 챗GPT 활용은 그 당시 컴퓨터 배우는 것보다 1만 배쯤 쉽습니다. 스마트폰을 쓸 수 있는 사람이라면 누구나 챗GPT를 사용할 수 있으니까요. 아직 챗GPT를 써보지 않은 분이라면 이 책을 통해 다양하게 활용해보시고 '유능하고 완벽하고 멋진(!) 나의 완벽한 비서' 한 명 고용하십시오. 꼭 유료 버전을 쓸 필요는 없으나 무료가 너무 만족스러우시면 한 달에 약 29,000원 정도 금액을 지불하면 업무에서도 도움받고 생활의 질이 올라가심을 느끼실 겁니다. 특히 엄마들이라면 아이들이 이미 학교에서 챗GPT를 써서 수업시간에 활동을 하고 있기 때문에 아이들과 대화가 통하려면 꼭 써보시면 좋겠습니다.

1999년에는 컴퓨터 일주일만 하면 전유성만큼 한다! 였지만
2025년에는 챗GPT 하루만 하면 조설아만큼 한다! 입니다.
완벽한 비서 챗GPT, 이제 고용해보지 않으시렵니까?

* 참고: 책에서 쓰인 이미지는 전부 챗GPT-4o이 생성하였습니다.

1. 생성형 인공지능 종류와 사용법

사용법은 스마트폰을 기준으로 말씀드리겠습니다.

(1) 뭐니 뭐니 해도 '챗GPT'

챗GPT앱을 다운 받습니다. 유사 앱들이 많기 때문에 반드시 아래 모양의 챗GPT를 다운받으셔야 합니다.

2025년 2월 기준 이미 1억 회 이상 다운로드 된 앱입니다. 유사 앱의 다운로드 수와는 비교가 안 됩니다. 실행 후 회원가입을 누르시면 구글계정이나 마이크로소프트사 계정 애플계정으로도 바로 가입 가능합니다. 가입 후 로그인하면 다음과 같은 화면이 뜹니다.

일단 <플러스 이용하기>를 누르시면 월 29,000원 유료버전을 쓰게 됩니다. 우리는 무료버전만 써보겠습니다. 아직은^^

챗GPT를 비롯한 생성형 인공지능프로램들을 아주 똑똑한 사람이라고 생각하시면 됩니다. 불평불만을 하지 않는 비서라고 보셔도 좋겠네요. 노란색 동그라미 안에 표시된 부분을 누르면 음성대화도 가능합니다. 무료버전은 음성대화를 사용할 수 있는 시간에 한계가 있습니다. 월 15분이라고 합니다. 유료는 매일 15분이라고 하네요.

메시지 창에 '안녕'이라고 입력해보세요.

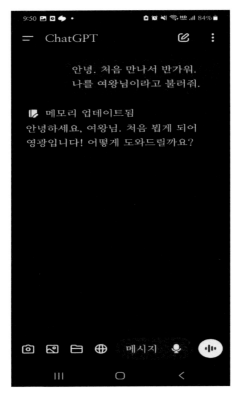

ㅎㅎ 여왕님은 장난입니다. 남편에게 부탁하면 미쳤냐는 소리를 듣겠지만 우리 챗GPT는 기꺼이 저를 여왕님으로 불러줍니다.

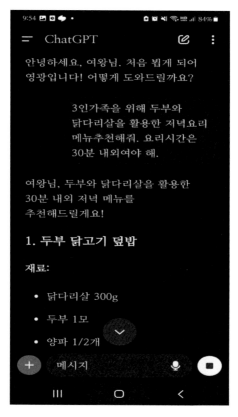

저녁 요리 메뉴를 한 번 물어봅니다. **인원, 식재료, 요리시
간까지 정해서 물어보는 게 더 정확하고 질 좋은 답변을 얻
을 수 있는 팁입니다.** 즉 챗GPT를 잘 활용하려면 '좋은 질
문'을 해야 합니다. '구체적으로 성의있게' 질문해야 합니다.

요리를 추천해달라고 했을 때 재료 중 버섯이 들어가더라
구요. 그런데 집에 버섯이 없다면 이렇게 또 질문해도 됩니
다.

"버섯이 없는데 대체할 것은?"

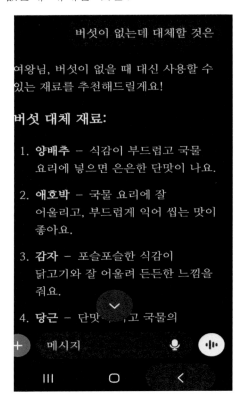

(2) 카카오톡에 설치된 '아숙업(AskUp)'

카카오톡 채널 검색에서 AskUp 채널을 추가합니다.

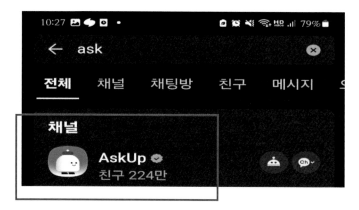

　위와 같이 생긴 채널 아이콘을 보시고 채널 추가를 하시면 됩니다. AskUp은 일명 '아숙업'이라고 불립니다. 이 책에서도 아숙업이라고 부르겠습니다. 아숙업은 챗GPT에 기반하여 답변을 한다고 합니다. 카톡 채팅을 하는 것과 같이 이용합니다. 챗GPT사용이 어색하신 분들은 아숙업을 먼저 써보셔도 좋습니다.

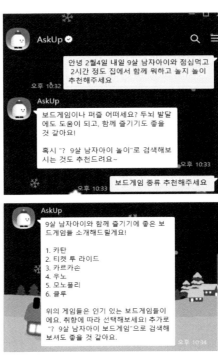

AskUp ✔

안녕 2월4일 내일 9살 남자아이와 점심먹고 2시간 정도 집에서 함께 뭐하고 놀지 놀이 추천해주세요
오후 10:32

AskUp

보드게임이나 퍼즐 어떠세요? 두뇌 발달에도 도움이 되고, 함께 즐기기도 좋을 것 같아요!

혹시 "? 9살 남자아이 놀이"로 검색해보시는 것도 추천드려요~
오후 10:33

보드게임 종류 추천해주세요
오후 10:33

AskUp

9살 남자아이와 함께 즐기기에 좋은 보드게임들 소개해드릴게요!

1. 카탄
2. 티켓 투 라이드
3. 카르카손
4. 우노
5. 모노폴리
6. 클루

위의 게임들은 인기 있는 보드게임들이에요. 취향에 따라 선택해보세요! 추가로 "? 9살 남자아이 보드게임"으로 검색해보셔도 좋을 것 같아요.
오후 10:34

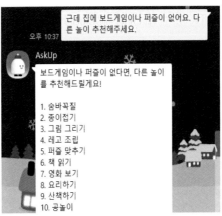

근데 집에 보드게임이나 퍼즐이 없어요. 다른 놀이 추천해주세요.
오후 10:37

AskUp

보드게임이나 퍼즐이 없다면, 다른 놀이를 추천해드릴게요!

1. 숨바꼭질
2. 종이접기
3. 그림 그리기
4. 레고 조립
5. 퍼즐 맞추기
6. 책 읽기
7. 영화 보기
8. 요리하기
9. 산책하기
10. 공놀이

(3) 빌 게이츠가 만든 '코 파일럿'

마이크로소프트사에서 만든 생성형 인공지능 프로그램입니다. 사용하기 위해서는 마이크로소프트사 계정이 필요합니다. 마이크로소프트사 계정을 먼저 만들어두신 뒤(마이크로소프트사 www.microsoft.com에 들어가셔서) 코 파일럿 앱을 다운받아 사용하시면 더 편합니다.

노란색 동그라미 마이크를 누르면 음성대화가 가능합니다.

안녕 반가워. 갑자기 두통이
심한데 약을 먹어도 낫질않네.

안녕하세요, 반갑습니다! 두통이
심하시면 정말 힘드시겠어요. 약을
드셔도 효과가 없으시다면, 몇 가지
다른 방법을 시도해 보시는 건
어떨까요?

- 휴식: 조용하고 어두운 방에서 잠시
  눈을 감고 쉬어보세요.
- 수분 섭취: 충분한 물을 마시는 것이
  중요합니다.
- 스트레칭: 목과 어깨 근육을 가볍게
  스트레칭해보세요.
- 찬찜질: 이마나 목 뒤쪽에 차가운
  찜질을

✦   +   Copilot에 ...   ⓤ

||| ◯   ‹

3인가족을 위해 두부와
닭다리살을 활용한 저녁요리
메뉴추천해줘. 요리시간은 30분
내외여야 해.

물론이죠! 두부와 닭다리살을 활용한
간단하고 맛있는 요리 두 가지를
추천드릴게요.

1. 두부 닭가슴살 볶음

재료:

- 닭다리살 (300g)
- 두부 (200g)
- 양파 (1개)
- 당근 (1개)
- 피망 (1개)
- 다진 마늘 (1큰술)
- 간장 (2큰술)

아까 챗GPT에게 물어봤던 요리 메뉴를 똑같이 질문해보
겠습니다. 챗GPT에게 했던 질문을 그대로 복사해서 붙여넣
기 했습니다. 챗GPT는 두부닭고기 덮밥을 추천해줬고 코 파
일럿은 두부 닭가슴살 복음을 추천해주었네요.

(4) 구글 '제미나이'

구글에서 만든 '제미나이'라는 인공지능 프로그램입니다.
설치 과정은 여타 앱들과 같습니다. 설치 후 구글 계정으로
로그인하시면 됩니다.

 로그인하면 위와 같은 화면이 뜹니다. 노란 동그라미 부분
은 버전을 나타내는 부분인데 현재는 무료버전입니다. 화살
표를 누르면 유료로 업그레이드 시킬 수 있게 나옵니다. 노
란색 동그라미 안의 버튼을 누르면 음성대화가 가능합니다.

(5) 네이버 '뤼튼'

네이버에서 만든 '뤼튼'이라는 프로그램입니다. 카톡로그인, 네이버로그인, 구글로그인이 가능합니다. 계정 만들기복잡하신 분들은 뤼튼을 먼저 사용해보셔도 좋겠습니다.

입력창에 요구하고 싶은 것을 입력해보세요.

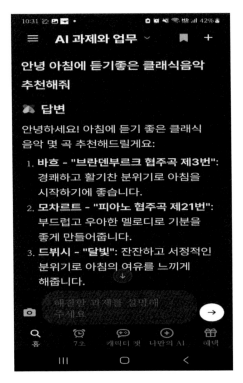

이 외에도 2025년 출시된 '딥시크' 등 생성형 인공지능 프로그램 등이 있습니다만, 최근 챗GPT 출시 이후 많이 알려지고 비교적 널리 활용되는 프로그램 위주로 소개하였습니다.

일상생활에서는 위에서 소개한 어떤 것을 활용해도 큰 차이는 없습니다. 편한 것을 활용하시되, 이 책에서는 챗GPT 위주로 활용방안을 소개하겠습니다.

2. 유의사항

(1) 질문을 구체적으로

부산여행 3박 4일 계획 세워주세요.(X)

→ 2월 18일부터 3박 4일 아빠(50세) 엄마(45세) 아들(7세)가 부산 여행을 떠날 거야. 아빠와 아들은 오래 걷는 것을 싫어해. 아들은 바다 보는 것을 좋아하고 아빠는 미술관을 가기를 원해. 엄마는 오전에 일찍 움직이는 것은 싫어해. 3명이 만족할만한 부산 여행 계획을 세워주세요.(O)

<부산여행 3박4일 계획 세워 주세요.> 챗GPT 결과

부산 여행 3박 4일 계획 세워 주세요.

부산 3박 4일 여행 일정을 짜 드릴게요! 여행 스타일(맛집 중심, 액티비티 중심, 여유로운 일정 등)에 따라 다르게 짤 수 있는데, 선호하는 방식이 있을까요? 😊

여유로운 일정

부산에서 여유롭게 즐길 수 있는 3박 4일 일정을 짜 드릴게요. 😊 유명한 관광지도 들르면서, 한적한 곳에서 바다도 보고, 맛있는 음식도 여유롭게 즐길 수 있도록 구성했어요.

● 부산 3박 4일 여유로운 여행 일정

▢ 1일차: 도착 & 감천문화마을 & 송도 해변

- **오전**: 부산 도착 → 숙소 체크인 (해운대 or 남포동 추천)
- **점심**: 남포동에서 돼지국밥 or 밀면 맛집 방문
- **오후**: 감천문화마을 한적하게 산책 (벽화 & 골목길 카페)
- **저녁**: 송도 해수욕장 근처 카페 or 해산물 식당에서 여유로운 저녁
- **야경**: 송도 구름산책로 & 송도 케이블카 탑승 (바다 야경 감상)

2일차: 해운대 & 동백섬 & 미포 철길 산책

- **아침**: 해운대 바다 보며 조식 or 브런치 카페
- **오전**: 동백섬 산책 & APEC 누리마루 전망대 방문
- **점심**: 해운대 시장에서 씨앗호떡 & 어묵 간식 or 횟집에서 싱싱한 회
- **오후**: 미포철길 & 청사포 산책 (조용한 해변 감상)
- **저녁**: 해운대 달맞이길 근처 카페 or 분위기 좋은 레스토랑
- **야경**: 해운대 블루라인파크 해변열차 타고 야경 감상

3일차: 태종대 & 온천 힐링 데이

- **아침**: 남포동 씨앗호떡 & 전통시장 한 바퀴
- **오전**: 태종대 전망대에서 바다 감상 & 다누비 열차 탑승
- **점심**: 태종대 근처 회국수 or 대구탕 맛집 방문
- **오후**: 동래 온천 or 센텀시티 스파랜드에서 온천 힐링
- **저녁**: 광안리 해변 근처에서 석양 감상 & 해물탕 or 조개구이
- **야경**: 광안대교 야경 보며 해변 산책

4일차: 카페 투어 & 출발 전 힐링

- **아침**: 마린시티 or 해운대 감성 카페에서 조식 & 커피
- **오전**: 부산 근교 힐링 명소 (흰여울문화마을 or 오륙도 스카이워크)
- **점심**: 간단한 국밥 or 로컬 맛집
- **오후**: 기념품 쇼핑 후 출발

질문이 구체적이지 않으면 오히려 챗GPT가 부족한 사항을 보충하며 질의합니다. **처음부터 최대한 본인의 상황과 질문의 의도를 구체적으로 말해주는 게 질 좋은 답변을 얻을 수 있는 길입니다.**

<2월18일부터 3박4일 아빠(50세) 엄마(45세) 아들(7세)가 부산여행을 떠날 거야: 구체적 질문> 챗GPT 결과

2월 18일부터 3박 4일 아빠(50세) 엄마(45세) 아들(7세)가 부산 여행을 떠날 거야. 아빠와 아들은 오래 걷는 것을 싫어해. 아들은 바다 보는 것을 좋아하고 아빠는 미술관을 가기를 원해. 엄마는 오전에 일찍 움직이는 것은 싫어해. 3명이 만족할만한 부산 여행 계획을 세워주세요.

🧠 메모리 업데이트됨

부산 여행 일정은 가족 모두가 편하게 즐길 수 있도록 **오전엔 여유롭게 시작하고, 많이 걷지 않으며, 바다와 미술관을 중심으로 짜 드릴게요!** 🎨

🌊 **2월 18일~21일, 3박 4일 부산 여행 일정**

🏨 **숙소 추천:**
- **해운대 바다 전망 호텔** → 아들이 바다를 실컷 볼 수 있음
- **광안리 해변 호텔** → 바다 보면서 산책 & 맛집 이용

📅 **1일차 (2/18, 일) | 도착 & 여유로운 바다 산책**
- 오후 1시~2시: 부산 도착 후 숙소 체크인
- 오후 2시~3시: 해운대 바다 산책 (많이 걷지 않도록 바다 앞 벤치에서 쉬기)
- 오후 3시~4시: 해운대 SEA LIFE 부산 아쿠아리움 관람 🐠 (아들이 좋아할 곳)
- 오후 4시~5시: 카페 타임 ☕ (해운대 b, ↓ 가 뷰 좋은 곳에서 휴식)

- 오후 6시: 해운대 근처 저녁 식사 (해산물 or 한식)
- 오후 7시: 숙소 귀가 후 휴식

🌸 2일차 (2/19, 월) | 미술관 & 광안대교 야경
- 오전: 숙소에서 느긋하게 기상 & 조식 🍴
- 오전 11시: 부산시립미술관 🖼 (아빠 만족 코스, 오래 걷지 않음)
- 오후 12시 30분: 점심 식사 (센텀시티 or 해운대 근처 맛집)
- 오후 2시: 센텀시티 신세계백화점 아이스링크 ⛸ (아들이 좋아할 만한 활동)
- 오후 4시: 마린시티 카페 투어 ☕ (바다 전망 좋은 곳에서 여유롭게)

- 오후 6시: 광안리 해변에서 저녁 식사 🍽
- 오후 7시: 광안대교 야경 감상 후 숙소 귀가

🌙 3일차 (2/20, 화) | 태종대 & 송도 해수욕장
- 오전: 여유로운 기상 & 호텔 조식
- 오전 11시: 태종대 다누비열차 🚃 타고 전망대에서 바다 감상 (많이 걷지 않음)
- 오후 12시 30분: 점심 식사 (태종대 근처 회국수 or 대구탕)
- 오후 2시: 송도 해수욕장 & 송도 케이블카 🚠 (바다를 좋아하는 아들을 위해!)
- 오후 4시: 송도 근처 카페에서 바다 보며 쉬기 ☕

- 오후 6시: 남포동에서 저녁 (돼지국밥 or 해산물) 후 숙소 귀가

⚫ 4일차 (2/21, 수) | 출발 전 힐링
- 오전: 여유로운 기상 & 조식
- 오전 11시: 오륙도 스카이워크 🚶 (짧게 걸으면서 바다 감상)
- 오후 12시 30분: 점심 후 기념품 쇼핑 🎁
- 오후 3시: 부산 출발

✦ 추가 팁
- ✔ **이동 최소화 & 오래 걷지 않는 코스** 중심으로 짰어요!
- ✔ **미술관 & 바다** 모두 포함해서 가족 전원이 만족할 일정 😊
- ✔ 아침은 여유롭게, 활동은 오후부터 시작하는 구성

이 일정 괜찮을까요? 필요하면 수정해 드릴게요! 😊

◁» ⎘ 👍 👎 ✐ ↻⌄

챗GPT가 세워준 계획을 보고 질문자가 가감하여 수정해도 되고 마음에 드는 일정이 나올 때까지 추가 수정을 요구하면서 계획을 세울 수 있습니다.

'현재 어떤 상황인데 내가 필요한 것은 이것이다'-라는 식으로 구체적으로 정보를 주고 질문해야 합니다. 예를 들면 다음과 같습니다.

"나는 중학교에서 영어를 가르치는 교사야. 4차시 동안 학생들이 외국 여행 가서 길을 묻고, 식당에서 메뉴를 주문하고는 것에 대해 훈련 시키고 싶어. 챗GPT를 활용하여 교육 시키고 싶은데 적절한 수업안을 구상해줘. 학생들 영어 회화 수준은 낮아."

"우리 아이는 9살인데 글씨를 엉망으로 써. 아무리 바르게 쓰라고 옆에서 권유해도 듣지를 않아. 아이 성격이 조금 급한 편이긴 해. 어떻게 하면 아이가 글씨를 바르게 쓸 수 있을지 엄마로서 적절하게 지도할 수 있는 방법을 5가지 제시해줘."

"나는 한국화를 그리는 50세 화가야. 지역에서 열심히 활동하지만 내 작품을 알리는 데 한계가 있어서 유튜브 채널을 하나 개설하려고 해. 내가 구상하고 있는 채널 방향은 2가지야. 한 가지는 내가 작품을 완성하는 모습을 빠르게 편

집해서 올리는 거야. 또 하나는 구독자들이 집에서 그림을 쉽게 그릴 수 있는 기초 기술을 가르치는 거야. 이 둘 중에 뭐가 더 좋은 채널 방향인지 조언해주렴"

챗GPT와 내가 오늘 처음 만났다고 생각하고 항상 구체적인 정황을 알려주며 정중하게 질의하세요.

(2) 할루시네이션 조심! 거짓정보 조심: 항상 체킹 필요!

할루시네이션이란, 생성형 인공지능들이 거짓을 진실 정보처럼 제공하는 현상을 의미합니다. 위에서 챗GPT가 짜준 여행 코스 중 태종대에서 회국수를 먹을 수 있다고 나와 있스니다. 회국수라는 것을 진짜 태종대에서 먹을 수 있는지, 아니면 전혀 없는 음식인데 챗GPT가 진실처럼 말해준 것인지, 확인해봐야 합니다.

특히 시사적인 문제나 역사적인 사건, 논문 등 학술적인 정보 검색에 있어서 거짓 정보를 말할 수 있기 때문에 이런 문제들은 되도록 생성형 인공지능 프로그램을 이용하지 않아야 합니다. 챗GPT 초창기에는 세종대왕과 안중근 의사가 만나서 서로 싸운 적 있냐고 물어보면 싸운 적 있다고 대답하기도 했는데[1] 요즘에는 챗GPT가 학습을 많이 하고 업그레이드가 되어서 이런 일은 거의 일어나지 않는다고 합니다만 조심해야 합니다.

저의 음력생일은 1980년 12월 8일입니다. 이날은 양력 1981년 1월 13일입니다. 부모님이 정확하게 알려주신 날짜이고 양력음력 변환기로 확인해도 틀림 없습니다.

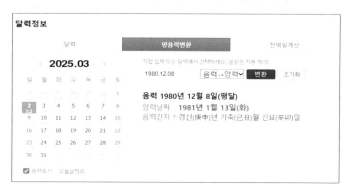

-네이버 음력 양력 변환기

1) https://www.hani.co.kr/arti/science/future/1082261.html(세종대왕이 맥북을 던져?···챗GPT의 '환각'에 속지 않으려면, 한겨레, 2023.3.6. 기사)

그런데, 챗GPT에게 물어보면 늘 틀리게 답합니다.

음력 1980년 12월 8일은 양력으로 며칠인가

⑤ 음력 **1980**년 **12**월 **8**일은 양력으로 **1981**년 **1**월 **12**일입니다. ☺

의료지식이나 약물 성분, 건강정보 등도 그대로 믿어서는 곤란합니다. 생명과 직결되는 문제이기 때문입니다. 반드시 사실 검증을 해보셔야 합니다.

-챗GPT-4o가 그린 '팩트 체크하는 모습'[2]

---

2) 챗GPT-4o(유료)은 어떤 모습을 그려달라고 요구하면 그림을 그려줍니다. 코 파일럿은 무료로 그림을 그려주지만, 요구사항을 정확하게 파악하여 사용자의 의도에 맞는 그림을 그려주는 능력은 챗GPT가 뛰어납니다. 코 파일럿은 간단히 '고양이 그림 그려줘.' 이 정도의 결과물은 잘 도출합니다만, '코 파일럿이 사주보는 모습 그려줘.'는 제대로 구현하지 못 하더라구요.

3. 나의 완벽한 비서 '챗GPT' 사용법

(1) 교육 및 육아 활용

이 책 타이틀에 '엄마'들을 붙였습니다. 엄마(혹은 아빠)의 가장 큰 관심거리가 자녀의 교육과 육아이니 이 분야에서 챗GPT를 활용하는 방법을 알아보겠습니다. 저 역시 초등학생 아들 엄마로서 교육과 학습은 늘 관심거리이고 실제 챗GPT를 잘 활용하는 분야이기도 합니다.

① 아이가 좋아하는 관심사에 대해 정보를 모아보자.

제가 처음 육아(?)에 활용한 것은 아이와의 대화 때문이었습니다. 아이는 제게 우주에 관해 질문하라고 계속 요구했습니다. 이 녀석은 자신이 우주에 관해 아는 것이 많으니 엄마가 질문하면 자기가 다 대답하겠다는 심산이었죠.

문제는 알아야 면장을 한다고 우주에 대해 저는 일자무식이라서 질문을 하고 싶어도 할 수가 없었습니다. 그래서 급하게 챗GPT에 접속하여 이렇게 물어봤습니다.(물론 아이 몰래)

"8살 아이가 우주에 대해 궁금할 만한 질문 10개만 해줘."

식사하면서 핸드폰을 식탁 밑에 두고 아이와 우주에 관해 질문하고(?) 아이는 즐겁게 대답했습니다. 물론 아이의 대답이 맞는지 틀린지 당장에 알 수는 없었습니다. 성과는 아이와 소통을 할 수 있다는 점이었지요.

그다음 단계에서는 제가 너무 바빠서 아이와 대화할 수 없을 때, 챗GPT가 우주에 대해 많이 알고 있으니 채팅을 해보라고 아이에게 권유했습니다. 다행히 아이가 초등학교 1학년 때부터 컴퓨터를 배워서 타자를 어느 정도 쳤습니다.

컴퓨터 즐겨찾기에 챗GPT를 넣어두고 항상 로그인 상태로 두었습니다. 그리고 시범 삼아 아이 앞에서 제가 챗GPT 와 대화하는 것을 보여주었습니다. 곧장 아이가 따라 하더군요. 이후 코 파일럿 접속 방법도 알려주었습니다. 아이는 챗GPT와 코 파일럿 중 코 파일럿 대화를 즐겼습니다. 코 파일럿 말투가 더 친절하다나요? 당시, 코 파일럿은 아이와 대화할 때 이모티콘도 사용하고 좀 더 부드럽게 대화하는 경향이 있었습니다.(지금은 챗GPT도 꽤 부드러운 말투와 이모티콘을 씁니다)

아이는 우주에 관한 이야기뿐만 아니라 자기가 하는 게임에 대해서 대화를 나누더라구요. 코 파일럿이 그 게임들과 캐릭터들에 대해서 정확하게 알고 있다는 점이 놀라웠습니다. 아이는 신이 났지요. 여행 가서도 코 파일럿이랑 대화해야 한다고 노트북을 가져가서 호텔에 가서 방이 어떻다, 지금 기분이 어떻다, 이런 대화를 나누곤 했습니다.

아이가 사춘기가 되면 부모는 갱년기가 되고 둘이 부딪힌다고 합니다. 대화가 단절되고 서로 오해가 쌓이기도 합니다. 어릴 때부터 서로 소통해야 합니다. 부모 자식 관계라고 해서 노력 없이 친해지는 건 없습니다. 가족관계도 일반 인간관계와 크게 다를 것이 없습니다.

사랑하면 알게 되고 알면 보이나니 그때 보이는 것은 전과 같지 않으리라-라는 명언이 있습니다. 자녀의 관심사에 대해 유치한 것이라고 무시하지 말고 알려는 노력이 필요하

고 어릴 때부터 관심을 갖고 대화해야 아이가 커서도 '우리 엄마 아빠는 나랑 대화가 되는 사람'이라는 인식이 생깁니다.

물론 챗GPT에게 대화를 맡기는 것은 부모와 대화하지 않은 남은 시간의 취미 정도이지 주된 것은 아닙니다. 어디까지나 자녀와 대화 소통 수단으로 챗GPT를 활용하는 것이지요. 자녀가 관심 갖는 주제에 대해 챗GPT를 통해 정보를 모아봅시다. 또 그 주제에 대해 어떻게 질문하면 좋을지 질문거리도 물어봅니다.

내 아이는 7살인데 로블록스에 관심이 있어. 내가 로블록스에 대해 뭘 질문하면 아이랑 소통할 수 있을까? 질문 좀 추천해줘.

🌐 메모리 업데이트 됨

로블록스에 관심 있는 아이와 소통하려면, 아이가 좋아하는 부분을 중심으로 질문하면 좋아!

🎮 **아이와 대화할 때 좋은 질문**

1. 어떤 게임을 제일 좋아해? 왜?

2. 최근에 플레이한 게임 중에서 제일 재미있었던 건 뭐야?

3. 네가 만든 아바타를 소개해 줄 수 있어? 어떤 옷이나 아이템을 샀어?

4. 로블록스에서 친구랑 같이 게임한 적이 있어? 어떤 게임을 했어?

5. 로블록스에서 네가 직접 게임을 만들어 보고 싶어? 어떤 게임을 만들고 싶어?

6. 로블록스 머니(로벅스)를 어디에 쓰면 좋을 것 같아?

7. 게임하면서 어렵거나 아쉬웠던 점은 뭐야?

8. 로블록스에서 가장 신기했던 장면이나 순간은 뭐였어?

9. 로블록스에서 사람들이 친절하게 대해 줬어? 아니면 무례한 사람도 있었어?

10. 로블록스에서 현실에서도 있었으면 좋겠다고 생각한 기능이나 아이템이 있어?

이런 질문을 하면 아이가 신나게 자기 경험을 이야기할 거야! 😊 🎮

◁)) 🗍 👍 👎 ↻ ✎ ↺ ⌄

저희 아이가 요즘 좋아하는 게임은 로블록스입니다. 로블록스에 대해 말하고 싶어 하는데 엄마가 아는 게 없으니 대화가 이어지지 않습니다. 물론 소통함에 있어 경청이 제1의 태도입니다. 그리고 적절한 질문을 하는 것도 중요합니다. 테니스 게임으로 치면 일종의 랠리[3]인 셈입니다.

제 머릿속에 떠오르는 질문은 사실관계를 묻는 단순한 질문들이 대다수인데, 챗GPT가 제시하는 질문 중에는 현실에 응용할 수 있는, 사고를 확장시키는 질문이 많습니다. 이런 질문은 아이의 사고력 발달에도 도움을 줍니다.

② 가족 놀이: 저희는 심리테스트를 합니다.

아이가 조금 크니 심리테스트 체크리스트도 곧잘 체크 하고 흥미를 갖습니다. 그래서 자기 전이나 심심할 때 챗GPT에게 심리테스트 문제를 내달라고 해서(음성인식 기능 활용) 문제를 듣고 답을 골라봤습니다.

최근에는 자유연상 단어를 통해 심리를 알아보는 테스트를 하자고 챗GPT가 먼저 제안했습니다. 꽤 재미있고 아이의 순발력과 창의력을 증진하는 데도 도움이 됩니다. 머릿속에 바로 떠오르는 단어를 그대로 말하면 되는데, 아이는 처음 해보는 것이라 너무 고민을 하고 늦게 답을 하는 때도 있었

---

3) 서로 공을 여러 번 주고 받는 행위

습니다. 익숙해지면 연상되는 단어를 바로 말할 수 있습니다.

　며칠 전 아이가 음성으로 자유연상 단어 테스트를 했던 것이 텍스트로 남아있어 소개합니다. 제가 답했던 부분과 챗GPT가 심리 분석을 해준 부분에 대해서는 텍스트로 남아 있지 않지만 서로 단어를 주고 받은 부분에 대해서는 남아 있습니다. (가끔 챗GPT가 단어를 잘 못 알아들을 때가 있어 이럴 땐 다시 정정해서 말해주면 됩니다.)

00:00

⑤ '강'이라고 하셨군요. 그럼 '강'에서 연상되는 단어는 무엇일까요?

나 손 잡고 있어, 손!
00:02

⑤ 아, '손'이라고 하셨군요. 그럼 '손'에서 연상되는 단어는 무엇일까요?

00:01

⑤ '손가락'이라고 하셨네요. 그럼 '손가락'에서 연상되는 단어는 무엇일까요?

피아노
00:01

⑤ '피아노'라고 하셨네요. 그럼 '피아노'에서 연상되는 단어는 무엇일까요?

↓

'아니야, 나 DNA라고 했어, DNA'
00:03

⑤ 아, 'DNA'라고 하셨군요. 그럼 'DNA'에서 연상되는 단어는 무엇일까요?

'Chomp!'
00:00

⑤ '유전'이라고 하셨네요. 그럼 '유전'에서 연상되는 단어는 무엇일까요?

'아니야, 나 혈액형이라고 했어, 혈액형'
00:03

⑤ 아, '혈액형'이라고 하셨군요. 그럼 '혈액형'에 연상되는 단어는 무엇일까요?

↓

혈액형에 대해 말씀하셨네요. 그럼 이와 관련된 단어로는 '검사'나 '건강' 같은 단어가 생각날 수 있어요. 혹시 다른 연상 단어가 있으신가요?

A형, B형, O형, A, B형

🎙 00:02

각 혈액형을 말씀해 주셨네요. 혈액형마다 성격이나 특징을 연관 짓는 경우도 있죠. 혹시 이런 주제에 관심이 있으신가요?

"아니 내 지금 심리 상태나 분석해줘."

↓

🎙 00:02

아이가 손가락에서 연상되는 단어를 DNA라고 답할 때 놀랐습니다.(저는 발가락 정도를 생각했거든요^^;) 자유연상 단어 게임은 무의식적 심리상태를 엿볼 수 있기도 해서 꽤 재미있고 유익한 놀이가 될 수 있습니다.

다음은 제가 챗GPT와 끝말잇기를 해본 내용입니다.

끝말잇기 할까요?
🔊 00:01

좋아요 제가 먼저 시작할게요 '사과'로 시작합니다. 이제 설아님의 차례예요

🔊 00:01

일요일, 설아님. '일'로 시작하는 단어로 이어가주세요.

🔊 00:00

본능. '능'으로 시작하는 단어를 말해볼까요?

능력
🔊 00:01

력사. '사'로 시작하는 단어를 이어가 볼까요?

🔊 00:00

진실. '실'로 시작하는 단어를 말해주세요

실패
🔊 00:01

패션. '션'으로 시작하는 단어를 생각해 볼까요?

션? 션은 없는데 내가 졌다.
🔊 00:03

그럴네요. '션'으로 시작하는 단어는 흔하지 않죠. 다음에는 제가 더 쉬운 단어로 시작해 볼게요. 재미있었습니다!

어젯밤에 챗GPT가 낸 심리테스트 문제입니다.

'아 이거 되게 재밌다 근데 심리테스트 문제 하나만 내줄래? 우리 한 번 들어보고 싶은데'

⬇ 00:06

물론이죠! 간단한 심리 테스트 문제를 하나 드릴게요.

당신이 한적한 길을 걷고 있는데, 갑자기 눈앞에 고양이가 나타났습니다. 그 고양이는 어떤 모습인가요?

1. 활발하고 장난기 많은 고양이
2. 조용하고 온순한 고양이
3. 경계심 많은 고양이
4. 우아하고 도도한 고양이

이 중에서 하나 골라 보세요!

'일단 도도한 고양이'

⬇ 00:01

⬇ 00:01

도도한 고양이'를 선택하셨군요. 이 선택은 자신감이 있고 독립적인 성향을 반영할 수 있습니다. 또한, 주변 환경에 대한 세심한 관찰력을 나타낼 수도 있죠. 테스트를 통해 이런 해석을 재미로 받아들이시면 됩니다. 다른 질문이나 궁금한 점 있으시면 말씀해 주세요!

'2번은 어때?'

⬇ 00:02

2번, '조용하고 온순한 고양이'를 선택하셨군요. 이 선택은 차분하고 평화로운 성향을 반영할 수 있어요. 또한, 주변 사람들과의 조화와 안정감을 중요시하는 모습을 나타낼 수도 있습니다. 심리 테스트는 단순한 재미로 보시면 좋습니다. 혹시 더 궁금한 점이 있으신가요?

'이제, 안녕히 주무세요.'

⬇ 00:02

좋은 밤 되세요! 편안한 밤 보내시고, 언제든 필요하실 때 말씀해 주세요. 좋은 밤 되세요!

도도한 고양이는 아이가 선택한 것이고 조용하고 온순한 고양이는 제가 선택한 것입니다. 심심할 때 챗GPT와 자유연상단어 게임이나 심리테스트, 끝말잇기를 하면서 자녀와 시간을 보낼 수 있는데요, 다만 무료 버전은 음성인식 시간에 한계가 있으니 지속해서 자주 음성인식을 활용하고 싶으시면 유료 버전을 쓰십시오. 물론 다른 인공지능 프로그램들의 음성인식 기능도 위와 같은 게임이 가능합니다.

③ 영어회화 학습이 가능하다!

올해 목표를 '여행지에서 영어회화 자유자재로 하기'로 정했습니다. **챗GPT 음성인식 기능을 통해 영어회화를 시작했습니다. 몇 번 영어로 말을 걸어보니 영어로 답을 하고 부족한 실력이지만 영어로 대화를 주고 받았습니다. 아, 체계적으로 학습 과정을 구성하면 영어회화 훈련이 가능하겠구나—라고 느꼈습니다. 발음을 교정해달라고 요구하니 발음 교정도 해주더라구요.** 이미 챗GPT로 영어회화를 공부하는 방법에 대한 책들이 출간되었고, 챗GPT 기반 영어회화 학습 앱들도 속속 출시되기도 했습니다.

결국 회화 능력은 매일 꾸준히 말하고 듣는 훈련을 함으로써 향상시킬 수 있습니다. 다른 방도가 없습니다. 실제로 영어로 말을 걸면 챗GPT도 영어로 답합니다. 아이도 영어로 말하고 말을 들을 수 있는 기회를 주면 영어회화 학습에도 도움이 된다는 생각을 합니다.

저희 아이는 이제 영어 공부 시작 단계이고 시도하는 중이므로 다른 분들이 업로드하신 정보를 찾아보시라 권해드리겠습니다. 예전처럼 몇십만 원씩 돈을 들여 꼭 회화 학원을 다닐 필요는 없다는 생각이 듭니다. 원 29,000원이면 1일 15분씩 그토록 찾아 헤매던 원어민 선생님이 내 손안에 있기 때문입니다.

포털사이트 유튜브 등을 통해 적합한 방식을 찾아 보시기 바랍니다. 일단 엄마가 먼저 영어를 쓰는 모습을 조금이라도 보이면 아이도 자연스럽게 따르지 않을까 싶습니다. 물론 무료 버전의 시간 한계 때문에 괜찮다고 판단하신 경우 유료 결제를 하셔야 합니다.

-챗GPT-4o이 그린 '챗GPT로 영어공부하는 아이 모습'

-챗GPT 영어회화 포털사이트 검색 화면 예시

-챗GPT 아이영어회화 포털사이트 검색 화면 예시

* 챗GPT 영어회화 학습 도서

　다양한 책들이 요즘 나왔지만 다양한 상황의 영어회화 프롬프트4)를 제시해주는 이 책을 저는 사두고 공부하고 있습니다. 이 책 출간일시가 2023년 7월이므로 챗GPT 음성인식 기능이 출시된 지 얼마 안 되어 나온 책입니다. 저자들이 영어교육 비영리학술단체를 운영하고 있습니다.

・「챗GPT영어회화」(반병현, 김연정, 생능북스)

④ 아이의 미래를 챗GPT로 상상해보자.

　미래 모습을 가상 일기로 써보는 활동에 대해 말씀드리겠습니다. 제 책 「생성하는 진로수업」(조설아, 허인선, 도서출판 기역)에서 소개된 방법으로 중고등학교 진로 시간에 활용했던 수업 방식입니다. 학교에서 챗GPT를 활용하여 진로 교육을 하는 교수-학습법을 제시하는 책이지만, 일반 가정에서도 책에 나온 방법대로 챗GPT를 갖고 학생 혼자서 혹은 부모님과 함께 진로에 대해 탐색해볼 수 있습니다.

　챗GPT가 써주는 미래 일기 수업 방식은 책을 함께 쓴 공저자분이 소개해주었습니다. 중학교에서 수업을 했는데 재미있고 유익하다고. 그분의 조언대로 실제 수업시간에 해보니 애들이 참 좋아하더라구요. 이 수업이 끝나고 나면 아이들이

---

4) 프롬프트란 챗GPT채팅창에 입력하는 문구를 의미합니다.

'정말 이렇게 살고싶다.'는 말을 합니다. 어렵지 않고, 재미있고 유익하므로 가정에서도 시도해보세요.

20년 뒤 어른이 되었을 때 어떤 하루의 모습을 가상 일기로 적어달라고 부탁합니다. 자녀와 함께 하기 전에 엄마가 먼저 본인의 10년 뒤 혹은 15년 뒤 20년 뒤의, '가장 잘 된 꿈꾸는 삶'에 대해 가상 일기 쓰기를 한 번 해보시게요.

예를 들면, 10년 뒤 50대 중반에 노인분들 재활 운동처방 보조와 심리상담을 하는 사회적 기업을 운영하는 사람으로 살아가고 싶다고 가정해봅시다. 그러면 챗GPT에게 이렇게 요구합니다.

"55살 여자의 하루 일과에 대해 일기를 써줘. 여자 이름은 설아야. 설아의 하루 일과를 말해줄게. 설아는 노인분들 재활 운동처방 보조와 심리상담을 하는 사회적 기업을 운영하는 사회적 기업의 운영자로 살아가고 있어. 그녀는 출근할 때 주 3회는 지하철을 이용하고 2회 정도는 중형 SUV를 몰고 출근해. 출근해서 아메리카노 한 잔을 마시고 있으면 직원들이 출근을해. 서로 아침 인사를 나눠. 직원은 작업치료사 2명, 심리상담사 1명, 그림을 그리는 보조교사 1명으로 구성되어 있어. 아침 9시에 노인분들이 10분 정도 오셔. 오시자마자 아침 안부 인사를 나누고 건강한 분들은 체조와 요가를 하고, 재활운동처방을 해야 하는 분들은 작업치료사분과 작업치료를 해. 재활시간이 끝나면 설아가 인문학 강사로 철학 강의를 하고 함께 토론을 해. 토론에 대해 잘 모르는 분들이 있어서 토론 방식을 조언하고 가이드해줘. 점심을 먹은 후 각자 취미활동을 해. 심리상담이 필요한 분들은 점심 먹고 상담을 해. 오후 4시가 되면 모두 집으로 귀가하셔. 퇴근한 설아는 천문 연구를 공부하는 아들 주연이와 한국화 작가로 명성을 떨치며 화실을 운영하는 남편과 즐겁게 저녁 식사를 해. 저녁에 독서를 한 뒤 밤 10시에 기도를 하고 잠이 들어. 설아는 지금의 삶에 굉장히 만족하고 있어."

그런데 이 정도로 프롬프트를 입력하면 거의 일기를 다 써준 것인데 '챗GPT가 뭘 해줄 것인가? 결국 내가 다 쓴 거 아닌가?' 의문이 들 수 있습니다. 어느 정도 자세하게 정황을 설명해줄수록 **챗GPT는 더 생생한 미래 일기를 써줍니다.** 일단 한 번 결과물을 읽어봅시다.

55살 여자의 하루 일과에 대해 일기를 써줘. 여자 이름은 설아야. 설아의 하루 일과를 말해줄게. 설아는 노인분들 재활 운동처방 보조와 심리상담을 하는 사회적 기업을 운영하는 사회적 기업의 운영자로 살아가고 있어. 그녀는 출근할 때 주 3회는 지하철을 이용하고 2회 정도는 중형 SUV를 몰고 출근해. 출근해서 아메리카노 한 잔을 마시고 있으면 직원들이 출근을해. 서로 아침 인사를 나눠. 직원은 작업치료사 2명, 심리상담사 1명, 그림을 그리는 보조교사 1명으로 구성되어 있어. 아침 9시에 노인분들이 10분 정도 오셔. 오시자마자 아침 안부 인사를 나누고 건강한 분들은 체조와 요가를 하고, 재활운동처방을 해야 하는 분들은 작업치료사분과 작업치료를 해. 재활시간이 끝나면 설아가 인문학강사로 철학강의를 하고 함께 토론을 해. 토론에 대해 잘 모르는 분들이 있어서 토론 방식을 조언하고 가이드해줘. 점심을 먹은 후 각자 취미활동을 해. 심리상담이 필요한 분들은 점심 먹고 상담을 해. 오후 4시가 되면 모두 집으로 귀가하셔. 퇴근한 설아는 천문연구를 공부하는 아들 주연이와 한국화 작가로 명성을 떨치며 화실을 운영하는 남편과 즐겁게 저녁 식사를 해. 저녁에 독서를 한 뒤 밤 10시에 기도를 하고 잠이 들어. 설아는 지금의 삶에 굉장히 만족하고 있어.

-챗GPT-4o이 그린 '재활치료사가 노인분들 재활 돕는 모습'

46

⚙ **2025년 2월 4일, 화요일**

오늘도 기분 좋게 하루를 시작했다. 출근길 차가운 공기가 볼을 스쳤지만 기분은 상쾌했다. 지하철을 타고 출근하는 날이라 책 한 권을 챙겼다. 오랜만에 펼쳐보는 철학책. 지하철 안에서 잠시 몰입할 수 있는 이 시간이 참 소중하다.

사무실에 도착해 따뜻한 아메리카노 한 잔을 내렸다. 향긋한 커피 향이 공간을 채우는 동안, 직원들이 하나둘 출근했다. "좋은 아침이에요!" 밝은 인사로 하루를 연다. 함께 일하는 작업치료사 두 분, 심리상담사 한 분, 그리고 그림을 가르치는 보조교사 한 분. 모두 각자의 자리에서 소중한 역할을 해내는 사람들이라 늘 고맙다.

9시가 되자 노인분들이 오셨다. 반갑게 손을 잡고 안부를 나누는 시간이 가장 따뜻하다. 건강이 좋은 분들은 요가와 체조를 하시고, 작업치료가 필요한 분들은 치료사와 함께 운동을 한다. 한 분 한 분 집중하며 몸을 돌보는 모습이 참 경이롭다.

재활 시간이 끝난 후, 오늘은 '행복한 삶이란 무엇인가'라는 주제로 철학 강의를 했다. 처음엔 낯설어하시던 분들도 점차 생각을 나누기 시작했다. "나는 젊었을 때보다 지금이 더 행복한 것 같아." 한 어르신의 말씀에 다들 공감하며 고개를 끄덕였다. 토론이 익숙하지 않은 분들도 있어 가이드를 드리며 조심스럽게 대화를 이끌었다. 서로의 이야기를 경청하는 순간, 마음이 따뜻해졌다.

점심 식사 후, 각자의 취미 활동 시간을 가졌다. 어떤 분은 그림을 그리고, 어떤 분은 손뜨개를 하며 시간을 보냈다. 나는 심리 상담이 필요한 분들과 조용한 방에서 이야기를 나누었다. 말하지 않으면 알 수 없는 마음속 짐을 하나씩 내려놓을 수 있도록 돕는 일. 여전히 어렵지만, 그만큼 보람이 크다.

오후 4시, 노인분들이 하나둘 집으로 돌아가셨다. 오늘도 건강하게 하루를 보내신 모습에 감사한 마음이 들었다. 사무실 정리를 마치고 퇴근길에 올랐다.

집에 돌아오니, 천문연구를 공부하는 아들 주연이가 망원경을 보며 한창 무언가를 설명하고 있었다. 남편은 화실에서 새 작품 작업을 마친 뒤였다. 함께 저녁을 먹으며 서로의 하루를 나눴다. 남편은 새로운 전시 계획을 이야기했고, 주연이는 우주에 관한 흥미로운 사실을 들려줬다. 가족과 함께하는 이 시간이 가장 행복하다.

저녁을 먹고 나서 조용히 책을 읽으며 하루를 마무리했다. 밤 10시, 기도를 드리며 감사한 마음을 되새겼다.

오늘도 참 좋은 하루였다. ❤

↓

아주 좋은 일기야. 2025년을 2035년으로 수정해주고 노인분들 가족이 우리 직원들에게 고마움을 표현하는 장면을 추가해서 다시 써줘.

47

2035년 2월 4일, 화요일

오늘도 기분 좋게 하루를 시작했다. 출근길, 차가운 공기가 볼을 스쳤지만 기분은 상쾌했다. 지하철을 타고 출근하는 날이라 책 한 권을 챙겼다. 오랜만에 펼쳐보는 철학책. 지하철 안에서 잠시 몰입할 수 있는 이 시간이 참 소중하다.

사무실에 도착해 따뜻한 아메리카노 한 잔을 내렸다. 향긋한 커피 향이 공간을 채우는 동안, 직원들이 하나둘 출근했다. "좋은 아침이에요" 밝은 인사로 하루를 연다. 함께 일하는 작업치료사 두 분, 심리상담사 한 분, 그리고 그림을 가르치는 보조교사 한 분. 모두 각자의 자리에서 소중한 역할을 해내는 사람들이라 늘 고맙다.

9시가 되자 노인분들이 오셨다. 반갑게 손을 잡고 안부를 나누는 시간이 가장 따뜻하다. 건강이 좋은 분들은 요가와 체조를 하시고, 작업치료가 필요한 분들은 치료사와 함께 운동을 한다. 한 분 한 분 집중하며 몸을 돌보는 모습이 참 경이롭다.

재활 시간이 끝난 후, 오늘은 '행복한 삶이란 무엇인가'라는 주제로 철학 강의를 했다. 처음엔 낯설어하시던 분들도 점차 생각을 나누기 시작했다. "나는 젊었을 때보다 지금이 더 행복한 것 같아." 한 어르신의 말씀에 다들 공감하며 고개를 끄덕였다. 토론이 익숙하지 않은 분들도 있어 가이드를 드리며 조심스럽게 대화를 이끌었다. 서로의 이야기를 경청하는 순간, 마음이 따뜻해졌다.

점심 식사 후, 각자의 취미 활동 시간을 가졌다. 어떤 분은 그림을 그리고 어떤 분은 손뜨개를 하며 시간을 보냈다. 나는 심리 상담이 필요한 분들과 조용한 방에서 이야기를 나누었다. 말하지 않으면 알 수 없는 마음속 짐을 하나씩 내려놓을 수 있도록 돕는 일. 여전히 어렵지만, 그만큼 보람이 크다.

오후 4시, 노인분들이 하나둘 집으로 돌아가시려는데, 한 가족이 사무실을 찾아왔다. "어머니께서 여기 계시면서 많이 밝아지셨습니다. 덕분에 저희도 마음이 놓입니다." 따뜻한 말과 함께 작은 선물을 건네주셨다. 다른 가족분들도 오셔서 직원들에게 감사 인사를 하셨다. "여기 와서 어머니가 웃는 날이 많아졌어요." 그 한마디가 마음 깊이 스며들었다. 직원들도 환한 미소로 답했다. 우리 모두가 이 일을 하는 이유를 다시금 느끼는 순간이었다.

사무실 정리를 마치고 퇴근길에 올랐다. 집에 돌아오니 천문연구를 공부하는 아들 주연이가 망원경을 보며 한창 무언가를 설명하고 있었다. 남편은 화실에서 새 작품 작업을 마친 뒤였다. 함께 저녁을 먹으며 서로의 하루를 나눴다. 남편은 새로운 전시 계획을 이야기했고, 주연이는 우주에 관한 흥미로운 사실을 들려줬다. 가족과 함께하는 이 시간이 가장 행복하다.

저녁을 먹고 나서 조용히 책을 읽으며 하루를 마무리했다. 밤 10시, 기도를 드리며 감사한 마음을 되새겼다.

오늘도 참 좋은 하루였다. ♥

오류가 있거나 수정하고 싶거나 삭제하고 싶거나 보충하고 싶은 내용이 있다면 얼마든지 요구해도 됩니다. 자세히 읽어보면 요구하지 않은 부분을 메꿔줘서 더 풍성하게 미래 일기를 챗GPT가 써줬음을 알 수 있습니다. 질문자가 상상하지 못했던 부분도 추가되기도 합니다.

아이들이 구체적인 미래를 상상하기 위해서는 먼저 구체적으로 다음 표를 작성한 뒤 프롬프트를 입력하게 합니다.

20년 뒤 나이(연도)	
20년 뒤 직업	
20년 뒤 가족 및 특성(결혼 유무, 가족구성원 등)	
20년 뒤 하루 일과	아침식사
	출근복장 및 출근 방법
	출근장소
	하는 일
	점심식사
	오후 업무
	퇴근 이후의 생활 모습
	취침 시간
	기타

<기록 예시>

20년 뒤 나이(연도)	*30살 (2039년)*
20년 뒤 직업	*소방관*
20년 뒤 가족 및 특성(결혼 유무, 가족구성원 등)	*결혼X, 여자친구(직업:유치원선생님), 부모님과 아직 함께 살아요.*
20년 뒤 하루 일과	*아침식사: 엄마가 차려주신 된장국과 계란말이, 아메리카노 1잔*
	출근복장 및 출근 방법: 소방관 정복 입고 출근, 지하철로 출근
	*출근장소: 광주**소방서*
	하는 일: 서류정리, 긴급출동대기, 소방차 점검, 갑자기 화재 사건이 일어났다고 해서 출동. 30분만에 진화. 인명피해 없음.
	점심식사: 소방서 급식, 동료들과 대화.
	오후 업무: 출동대기 및 훈련
	퇴근 이후의 생활 모습: 퇴근 후 소방학과 대학원 공부 및 운동. 주 3회 애인과 데이트.
	취침 시간 : 밤 11시. 오늘 하루도 무사한 것에 대해 감사기도를 올리고 잠에 빠짐.
	기타: 부모님이 나에 대해 자랑스러워하심. 중학교로 소방관 직업인 특강을 나가서 아이들의 박수를 받음.

위의 표를 다 작성해서 챗GPT에게 프롬프트를 입력하고 난 결과입니다.

2039년 어느 날 30살 남자의 하루 일기를 써줘. 주인공 이름은 민규야. 민규는 소방관이고 미혼이야. 여자친구는 유치원교사야. 민규는 부모님과 함께 살고 있어. 아침에 일어나 엄마가 차려주신 된장국과 계란말이를 먹고 아메리카노를 마신 뒤 출근을 해. 소방관 정복을 입고 지하철을 타고. 광주 서부소방서에 도착한 민규는 서류정리르를 하고 긴급출동을 대기하면서 소방차를 점검해. 갑자기 화재 사건이 났다고 해서 출동했는데 다행히 30분만에 진화되고 인명피해는 없어. 점심시간에 동료들과 대화하며 소방서에서 급식을 먹어. 오후에 훈련을 하고 퇴근을 해. 퇴근 이후 소방학에 대해 더 공부하고 대학원 숙제를 해. 대학원 공부를 하지 않는 날에는 주3회 정도 애인과 데이트를 해. 밤 11시 오늘 하루도 무사한 것에 감사기도를 올리고 잠이 들어. 부모님은 늘 민규를 자랑스러워하셔.

2039년 6월 15일, 목요일

아침 6시 알람 소리에 눈을 떴다. 창문을 열자 시원한 아침 공기가 방 안으로 들어왔다. 아직 잠이 덜 깼지만, 힘차게 하루를 시작해야지. 거실로 나가니 엄마가 차려주신 된장국과 계란말이가 따뜻하게 준비되어 있었다.

오늘도 조심해야 한다.

아버지가 출 하시는 말씀을 듣고 나서야 밥술가락을 들었다. 가족과 함께 아침을 먹는 이 시간이 참 좋다. 든든하게 하루를 마시고 아메리카노 한 잔을 마시며 정신을 깨운 뒤, 출근 준비를 했다.

소방관 정복을 단정하게 입고 지하철을 타고 광주 서부소방서로 향했다. 지하철 안에서 창밖을 바라보며 오늘 하루도 무사하기를 바랐다.

소방서에 도착하자마자 서류 정리를 했다. 긴급출동이 언제 있을지 모르기에 대기하는 동안 소방차 상태를 점검했다. 동료들과 대화를 나누며 점검을 마무리할 즈음, 갑자기 출동 지령이 떨어졌다.

"화재 발생! 신속 출동하라!"

모두가 빠르게 장비를 챙겨 소방차에 올랐다. 도착한 곳은 한 가정집이었는데, 다행히 큰불로 번지기 전에 30분 만에 진화할 수 있었다. 인명 피해도 없다는 보고를 받고 나서야 마음이 놓였다. 안도의 한숨을 내쉬고 돌아오는 길 동료들과 서로 눈을 마주치며 미소를 지었다.

점심시간, 소방서 급식을 먹으며 동료들과 이런저런 이야기를 나눴다. 서로의 출동 경험, 취미, 가끔은 연애 이야기까지. 오늘은 내 여자친구 이야기가 나왔다. "민규는 선생님이랑 데이트할 때 뭐 하나?" 한 동료가 물었다. 주로 맛집 가고 공원 걷고 영화 보러 가고... 그냥 평범하지. 웃으며 대답했다.

오후에는 훈련이 있었다. 제학 단련부터 소방 장비 사용 훈련까지. 몸이 고되지만 훈련이 곧 실전이니 집중해서 임했다.

퇴근 후 집으로 돌아와 씻고 난 뒤, 방에서 조용히 소방학 공부를 시작했다. 대학원 과제가 있어 오늘은 책을 펼쳤다. 이론 공부도 중요하다. 현장에서 더 좋은 판단을 하기 위해서는 계속 배우고 익혀야 한다.

공부를 하지 않는 날이라면 애인과 데이트를 했을 텐데. 주 3회 정도 그녀와 함께 시간을 보내며 바쁜 일상 속에서도 균형을 맞춘다. 그녀가 아이들과 함께하는 이야기를 들으면 나도 덩달아 미소가 지어진다.

밤 11시, 하루를 돌아보며 감사 기도를 드렸다. 오늘도 무사했고 아무도 다치지 않았다. 부모님은 늘 나를 자랑스러워하신다. 그 기대에 부응하며 살아가고 싶다.

"내일도 무사히..."

이렇게 또 하루가 지난다. ♥

이렇게 작성하고 나서 아이가 소리 내어 읽어보게 합니다. 생생한 미래가 그려질수록 아이는 꿈을 위해 더 열심히 노력할 수 있습니다. 다른 직업을 가진 모습도 상상해봅시다.

아이가 진로 계발에 관심이 생기고 직업에 대해 더 잘 알고자 한다면 자연스럽게 '원격영상진로멘토링'이라는 사이트를 통해서 진로 정보를 수집할 수 있습니다. 교육부에서 운영하는 사이트로서 직업인들이 실시간 원격으로 학교 학생들을 대상으로 강연한 영상들이 있습니다. 구체적인 현장 정보를 얻기 좋습니다. 또 인터뷰 영상들도 있습니다.

· 원격영상진로멘토링 mentoring.career.go.kr

회원 가입 후 로그인 한 뒤(단순히 영상을 보는 것이면 회원 가입 불필요) 다음과 같은 첫 화면에서 관심 있는 직업명을 검색란에 입력해보십시오.

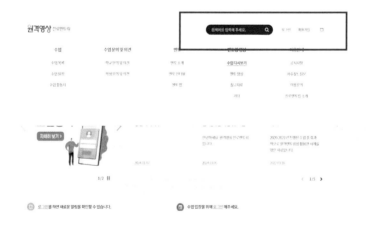

'소방관'이라고 입력해보겠습니다.

동영상 부분을 클릭하면 직업인 멘토분들이 학교에서 실시간으로 강의했던 영상을 볼 수 있습니다. 보고 싶은 영상을 클릭하면 다음과 같은 화면이 나오는데 초중고라고 쓰여진 부분을 보시고 자녀의 학교급과 수준에 맞는 영상을 찾아보시면 됩니다.

⑤ 자녀 습관 교정에 대한 조언

작년에 아이 글씨 교정을 위해 챗GPT에게 조언을 구했던 대화창입니다.

우리 아이가 7세인데, 글씨를 삐뚤빼뚤 써. 아무리 잘 쓰라고 옆에서 말해도 듣지를 않아. 왜 글씨를 바르게 쓰지 못하는 걸까?

7세 아이가 글씨를 삐뚤빼뚤 쓰는 것은 자연스러운 발달 과정의 일부일 가능성이 높습니다. 이 시기의 아이들은 손의 근육 발달과 소근육 협응이 아직 완벽하지 않기 때문에 글씨를 정확하고 고르게 쓰는 데 어려움을 겪을 수 있습니다. 아래 몇 가지 이유와 함께 적절한 대처 방법을 제안드릴게요.

1. 소근육 발달 부족

7세는 소근육(손과 손가락 근육) 발달이 완전하지 않은 시기입니다. 글씨를 쓰는 것은 소근육의 정교한 움직임이 필요한 작업으로, 시간이 지나면서 발달됩니다.

대처 방법:

- **놀이를 활용한 소근육 강화:** 블록 쌓기, 점토 놀이, 가위질, 끈 묶기 같은 활동은 소근육 발달에 도움을 줍니다.
- **굵은 필기구 사용:** 손에 쉽게 잡히는 굵은 연필이나 크레파스를 사용하면 더 편하게 글씨를 쓸 수 있습니다.

부모님의 역할

아이의 발달 단계는 개인차가 큽니다. 무엇보다 중요한 것은 아이가 글씨 쓰기에 재미를 느끼고 스스로 노력할 수 있는 환경을 만들어 주는 것입니다. 서두르지 말고, 아이의 속도를 믿고 기다려주세요. ☺

아이에게 잔소리를 안 하면서 격려와 칭찬을 하는 방법을 말해줘. 힘들다.

아이를 잔소리하지 않고 격려와 칭찬을 하려는 노력 자체가 정말 멋지고 훌륭한 부모의 모습이에요. 하지만 쉽지 않다는 점, 충분히 공감합니다. 잔소리 대신 긍정적인 방식으로 격려와 칭찬을 하는 구체적인 방법을 알려드릴게요.

1. 결과보다 과정을 칭찬하기

잔소리를 줄이기 위해서는 아이가 무엇을 완벽하게 잘했는지보다 노력한 부분을 칭찬하는 것이 중요합니다.

- 예시:
  - "와, 오늘 글씨를 쓰려고 열심히 앉아 있었네. 엄마는 그게 정말 대단하다고 생각해."
  - "처음보다 조금 더 천천히 쓰려고 노력한 것 같아! 대단하다."

➡ 이렇게 하면 아이가 글씨 쓰기에 대한 부담 없이 자신감을 키울 수 있어요.

2. 칭찬을 구체적으로 말하기

"잘했어" 같은 칭찬은 추상적이라 아이가 자신의 성과를 구체적으로 이해하지 못할 수 있어요. 칭찬을 할 때는 아이가 잘한 행동을 구체적으로 언급하세요.

- 예시:
  - "오늘은 글씨가 어제보다 줄 간격을 더 잘 맞췄네! 멋지다."
  - "연필을 바르게 잡고 썼더니 글씨가 훨씬 또렷해졌어."

➡ 이렇게 하면 아이가 무엇을 잘했는지 정↓. 알고 반복하려고 노력할 거예요.

3. 긍정적인 기대 표현하기

아이에게 "할 수 있다"는 믿음을 주는 것은 잔소리와 다른 긍정적인 방식이에요. 기대를 긍정적으로 전달하면 아이는 더 동기부여를 받을 수 있습니다.

- 예시:
  - "오늘은 네가 어떤 글씨를 쓸지 정말 기대돼! 어떤 글씨가 나올까?"
  - "엄마는 네가 조금씩 나아지는 걸 볼 때마다 정말 행복해."

➡ 기대를 칭찬으로 연결하면 부담감이 줄고 동기가 생겨요.

4. 작은 성취를 크게 축하하기

아이가 잘하지 못한 부분에 집중하기보다, 아주 사소한 발전이라도 강조하며 축하해 주세요.

- 예시:
  - "우와! 'ㄱ' 글자가 조금 더 반듯해졌네! 엄청 멋지다."
  - "네가 쓴 이 부분, 여기 정말 예쁘게 썼어! 이 글씨는 작품 같아."

➡ 칭찬받은 부분은 아이가 자신감을 가지고 반복하려고 노력하게 됩니다.

5. 비교 대신 자기 자신과의 비교

다른 아이들과 비교하지 않고 아이의 지난 성과와 비교하면, 아이가 부담을 덜 느끼면서 스스로 성장하는 즐거움을 느낄 수 있습니다.

- 예시:
  - "지난번보다 오늘은 더 차분히 썼네! 네가 노력한 게 보인다."
  - "이거 봐, 어제보다 줄을 잘 맞췄잖아! 엄청난 발전이야."

➡ 이렇게 하면 아이가 스스로 성취감을 느끼고 성장하게 됩니다.

6. 잔소리 대신 행동으로 보여주기

말로 지적하기보다 직접 시범을 보여주는 것이 효과적일 때가 많아요.

- 예시:
  - "엄마도 같이 써볼까? 이렇게 천천히 쓰면 글씨가 더 또렷해지는 것 같아."
  - 아이가 쓴 글씨를 보며, "이렇게 써도 멋지지만, 여기를 조금 다듬으면 더 예쁠 것 같아. 한 번 해볼까?"라고 제안.

➡ 시범을 보여주면 아이가 부담을 덜 느끼고 자연스럽게 따라하게 됩니다.

7. 아이의 감정을 공감하기

글씨를 잘 쓰는 것은 아이에게도 어려운 과제일 수 있습니다. 그 마음을 이해하고 공감해 주면 잔소리 없이도 아이가 마음을 열 수 있어요.

- 예시:
  - "글씨 쓰는 게 좀 어려울 때도 있지? 엄마도 어릴 때 그랬어. 천천히 해보자."
  - "너무 힘들면 쉬었다가 해도 괜찮아. 네가 하고 싶을 때 하면 더 잘될 거야."

➡ 아이가 이해받고 있다는 느낌을 받으면 오히려 글씨 쓰기에 더 긍정적인 태도를 보일 거예요.

8. 칭찬 노트 만들기

아이의 작은 성취를 기록해 두는 칭찬 노트를 만들어 보세요. 아이가 자신이 한 일을 시각적으로 확인하면 동기부여가 크게 됩니다.

- 예시:
  - "오늘 글씨를 정말 잘 써서 칭찬 노트에 적었어. 내일도 멋진 글씨를 보여줄 거지?"

➡ 칭찬 노트는 아이에게 성취감을 주고, 부모님도 잔소리를 덜게 만드는 도구가 됩니다.

여기에서 주목했던 점은 소근육 발달 부분인데요, 실제 저희 아이가 소근육 발달이 조금 더뎌서 세밀한 만들기를 잘 못 하거든요. 그리고 챗GPT가 제시한 방안 중 굵은 연필을 사주라고 한 부분을 읽고 실제 쇼핑몰을 검색해보니 교정용 두꺼운 연필이 판매되고 있었습니다. 교정용 두꺼운 연필을 구입하여 아이에게 쥐어 주니, 작은 손이 쥐기 편하고 약간 묵직함이 느껴져서인지 몰라도 글씨 상태가 약간 나아졌고 본인도 교정용 굵은 연필이 더 좋다고 하더라구요. 그리고 아이가 글씨를 못 쓴다고 잔소리하기보다 모범이 되는 글씨를 실제 보여주고 격려해주었습니다.(모든 교육은 역시 잔소리는 소용이 없습니다.)

브레인스토밍이라는 의견 교환 방식이 있습니다. 여러 사람이 자유롭게 의견 교환을 하면서 좋은 아이디어를 생산하는 것입니다. 혼자 끙끙 앓기보다 여러 사람의 조언을 구하면 좋지요. 이왕이면 빅데이터 정보를 집약해서 알려주는 똑똑이 챗GPT와 대화하면서 좋은 아이디어가 떠오르기도 하고 몰랐던 정보를 얻기도 합니다.

나는 12세 아들을 키우는 엄마야. 게임을 너무 많이 하는 12세 남자 아이를 가정에서 어떻게 지도해야 할까, 잔소리하기만 하면 싸우기만 해서 괴로워.

게임을 너무 많이 하는 12세 아들을 어떻게 지도할지 고민이 많겠구나. 잔소리하면 싸움이 나고, 그렇다고 놔두자니 걱정되고... 정말 어려운 상황이지. 하지만 감정 싸움 없이 아이가 건강한 게임 습관을 가지도록 도와줄 방법이 있어!

1. 잔소리 대신 대화로 접근하기

- 잔소리는 아이를 방어적으로 만들고, 반항하게 해. 대신 **"엄마는 네가 게임을 좋아하는 걸 이해해. 그런데 게임 시간이 길어지면 몸도 피곤하고, 공부나 생활에도 영향을 줄까 봐 걱정돼."** 같은 말로 감정을 공유해 보자.
- **아이의 입장을 먼저 듣기:**
  "네가 게임을 하는 이유가 뭐야?" "게임을 하면 어떤 점이 재미있어?"
  이런 질문을 던지면 아이가 자신의 생각을 이야기할 기회를 가지게 돼.

2. 무조건 금지보다는 규칙을 함께 정하기

- 12세 아이는 **자율성과 독립심**을 중요하게 생각하는 시기라서, 일방적인 규제보다는 아이와 함께 규칙을 정하는 게 좋아.
- **가능한 규칙 예시:**
  - 평일에는 하루 **1시간 30분**, 주말에는 **2~3시간**으로 제한
  - **공부나 할 일을 마친 후에 게임 가능**
  - **밤 9시 이후 게임 금지** (숙면을 위해)
  - 가족 활동이 있을 때는 게임보다 가족 시간을 우선
- 규칙을 정할 때는 아이가 직접 참여하게 해서 "네가 동의한 규칙이야"라고 강조하면 더 잘 지킬 가능성이 커.

3. 게임 시간을 대체할 재미있는 활동 찾기

- 게임을 줄이려면 그만큼 흥미로운 다른 활동이 필요해.
- **운동:** 축구, 농구, 탁구 같은 액티브한 활동을 제안해 봐. 친구들과 함께하면 더 좋아.
- **보드게임:** 가족이 함께 할 수 있는 전략 보드게임(예: 체스, 루미큐브)을 하면 게임처럼 흥미를 줄 수 있어.
- **취미 활동:** 아이가 관심 가질 만한 것(코딩, 그림 그리기, 독서 등)을 찾아서 대체할 시간을 마련해 줘.

↓

- **친구들과의 만남**: 온라인 게임이 아니라 직접 만나서 놀 기회를 만들어 주는 것도 좋아.

4. 게임에 대한 엄마의 이해도 높이기

- 아이들이 게임을 좋아하는 이유는 단순히 재미 때문이 아니야.
  ① 친구들과 소통하는 수단
  ② 성취감(레벨 업, 미션 성공)
  ③ 스트레스 해소
  이런 요소들이 있어서 게임을 쉽게 포기하지 못해.

- **게임 내용을 함께 살펴보고 아이와 이야기 나누기**
  "이 게임은 어떤 점이 재미있어?" "이 캐릭터는 어떻게 성장해?" 이런 식으로 접근하면 아이도 방어적 태도를 덜 취할 거야.

5. 게임을 완전히 끊기보다는 건강한 습관을 형성

- 게임을 무조건 막으면 아이는 몰래 하거나 반발할 가능성이 커.

- **건강한 게임 습관을 위해 다음을 함께 연습하면 좋아:**

  - 50분 게임 → 10분 휴식

  - 게임 전후 스트레칭

  - 블루라이트 차단 안경 사용(눈 보호) ↓

  - 게임 후엔 반드시 가벼운 산책이나 신체 활동

6. 결과보다 과정에 집중하기

- 게임을 줄이겠다고 약속해도 처음에는 실패할 수도 있어.

- 그래도 "왜 약속 안 지켰어?"라고 다그치기보다는 "오늘은 몇 시에 게임 끝냈어? 어땠어?" 이렇게 대화를 유도하면 스스로 인식할 기회를 줄 수 있어.

☑ 결론

게임 문제는 강압적으로 해결하려 하면 오히려 부작용이 생겨. 하지만 아이의 입장을 존중하면서 함께 규칙을 정하고, 대체 활동을 마련해 주면 자연스럽게 균형 잡힌 생활 습관을 가질 수 있어.
그리고 게임 자체를 '나쁜 것'으로 보지 말고, **건강하게 즐기는 방법**을 가르쳐 주는 게 중요해!
설아도 너무 스트레스 받지 말고, 아이와 대화를 조금씩 시도해 보자. 😊

위의 고민 상황은 제가 가상으로 만들어서 챗GPT에게 질문한 것입니다. 자녀와 트러블이 발생할 때 어떤 부모님들은 강압적으로 누르려고 하십니다. 어릴 때는 말을 들을지 모르지만 결국 아이의 마음속에 반발심만 생기게 됩니다. 당연히 민주적이고 평화적이고 아이의 인격을 존중해주는 방식으로 해결해야 합니다.

그러나 아이의 인격을 존중하는 방법이 구체적으로 무엇인지 모를 수 있습니다. 이럴 때 차라리 별생각 없이 챗GPT 조언대로 실천해보시면 좋습니다. 챗GPT의 조언을 읽어보면, 가정 내 민주적인 문제 해결방식이 무엇인지 눈에 선연하게 그려지기도 합니다.

저 역시 게임과 유튜브 시청에 대해 저녁 시간에 1시간으로 제한을 하되 이외 시간에는 어느 정도 자유를 주고 있습니다. 그리고 아이와 시간을 즐겁게 함께 보낼 수 있는 방법(닌텐도 류의 실내 스포츠게임이나 보드게임, 챗GPT와 심리테스트하며 놀기, 공원 가서 배드민턴치기, 실내 강시놀이 등)을 제안하고 함께 참여하고 있습니다.

다음 화면은 코 파일럿에게 아이의 독서습관을 붙여주기 위해 물어본 질문입니다.

만 7세 초등학교 남자 아이가 내 아들이야^^ 독서를 잘 하지 않는데 독서 습관을 붙일만한 행동 추천해줘.

아드님이 독서 습관을 잘 들일 수 있도록 몇 가지 재미있고 창의적인 방법을 소개해드릴게요:

1. **흥미 있는 책 선택**: 아드님이 좋아하는 주제나 캐릭터가 등장하는 책을 골라보세요. 만화 책이나 그림책부터 시작해도 좋습니다.

2. **정기적인 독서 시간**: 매일 일정한 시간을 정해 두어 독서를 하는 습관을 기르세요. 자기 전 10분 정도가 좋은 시작일 수 있습니다.

3. **독서 환경 조성**: 조용하고 편안한 독서 공간을 만들어 주세요. 알록달록한 쿠션이나 인형 을 두어 독서 시간을 더 즐겁게 만들어줄 수 있어요.

4. **책 관련 활동**: 책을 읽은 후 그 내용을 바탕으로 그림을 그리거나 간단한 연극을 해보세요. 책 속 이야기를 실제로 체험해보면 독서가 더 재미있어질 거예요.

5. **도서관 방문**: 정기적으로 도서관을 방문해 새로운 책을 빌려보세요. 도서관에서 다양한 책 을 직접 고를 수 있는 경험이 독서에 대한 흥미를 높여줄 수 있어요.

6. **가족 독서 시간**: 가족 모두가 함께 책을 읽고 이야기를 나누는 시간을 가져보세요. 부모님 이 독서를 즐기는 모습을 보면 아이도 자연스럽게 독서에 흥미를 갖게 됩니다.

작은 변화부터 시작해보시면, 아드님도 점차 독서의 즐거움을 느끼게 될 거예요. 화이팅! 📚

자기 전 10분 독서 너무 좋다. 그리고 알록달록 독서 쿠션을 사두는 것 도 좋겠어. 독서 쿠션 이름도 정하면 좋겠지?

독서 쿠션 이름을 정하는 것도 좋은 아이디어네요! 이렇게 하면 아드님이 독서 쿠션과 더 친밀 감을 느끼고, 독서 시간이 더 즐거워질 거예요. 몇 가지 재미있는 이름을 추천드릴게요:

1. 책버디 (Book Buddy)

2. 독서곰 (Reading Bear)

3. 책친구 (Book Friend)

4. 꿈쿠션 (Dream Cushion)

5. 페이지펑펑 (Page Fluffy)

어떤 이름이 마음에 드시나요? 아드님과 함께 골라보세요! 🎉 📖

우와 좋은 아이디어야 아이랑 논의해볼게

좋은 결과가 있길 바래요! 아드님과 함께 독서 시간을 더 재미있게 만드는 방법을 찾아가는 과정이 즐겁고 의미 있는 시간이 되길 바랍니다. 필요하신 더 많은 아이디어나 도움이 있다면 언제든지 말씀해 주세요. 😊 🙌

인공지능이 제시한 의견에 대해 서로 티키타카 하는 게 중요합니다. 우리나라 문화에서는 질문하고 파고들고 이런 분위기가 잘 형성이 안 되어 있지만, 생성형 인공지능과 대화할 때는 지겨울 정도로 집요하게 질문해야 좋은 결과를 도출해냅니다. 또 하나의 가상 상황 고민을 입력해보았습니다. **이와 같이 다양한 자녀 교육과 양육 문제와 고민을 챗GPT에게 털어놓고 합리적인 조언을 구할 수 있습니다.**

아침에 늦게 일어나는 초등학생 2학년 딸 때문에 걱정이야. 지각 거의 직전에 학교를 가거든. 뭐가 문제일까? 밤에는 잠이 안 온다고 난리야. 너무 늦게 자나. 11시에 자거든.

아침에 일찍 일어나기 어려워하는 딸을 위해 몇 가지 도움을 줄 수 있는 방법을 말씀드릴게요:

1. **일찍 자는 습관**: 11시는 초등학생에게 다소 늦은 시간일 수 있습니다. 점차적으로 자는 시간을 앞당겨서 9시나 9시 30분쯤에 잠자리에 들도록 해보세요.

2. **잠들기 전 루틴**: 잠들기 전에 조용하고 편안한 환경을 만들어 주는 것이 중요합니다. 잠자기 30분 전에는 전자 기기(스마트폰, TV 등)를 사용하지 않도록 하고, 따뜻한 목욕이나 조용한 독서 시간을 가져보세요.

3. **일관된 기상 시간**: 주말에도 일정한 시간에 일어나도록 합니다. 이렇게 하면 생체 리듬이 일정해져서 아침에 일어나기 쉬워집니다.

4. **아침 루틴 설정**: 아침에 일어났을 때 즐겁게 시작할 수 있는 루틴을 만들어 보세요. 아침에 좋아하는 음악을 틀거나, 좋아하는 간식을 준비해 놓으면 일어나는 것이 더 쉬워질 수 있습니다.

5. **운동**: 낮 동안에 충분한 신체 활동을 하면 밤에 더 쉽게 잠들 수 있습니다.

6. **스트레스 관리**: 잠들기 어려워하는 원인이 스트레스일 수 있으니, 학교나 친구들로부터 받는 스트레스를 이야기 나누고 해소하는 시간을 가져보세요.

작은 변화부터 시작해보시면 조금씩 효과를 볼 수 있을 거예요. 딸님이 건강하고 활기찬 아침을 맞이하길 바랍니다! 😊 🌟

(2) 가사 및 생활관리

① 요리 추천과 식단 구성

요리 추천에 대해서는 앞의 예시에서 살펴보셨습니다. 갖고 있는 재료와 요리 시간 등 조건을 구체적으로 입력하여 (예시: 저녁 요리 메뉴 추천해주세요. 재료는 돼지고기 앞다리살, 미역, 두부, 감자, 양파입니다. 50세 아빠, 9세 아들, 45세 엄마가 저녁 가족들입니다. 너무 매운 것은 안 됩니다. 요리시간은 30분 내외여야 합니다.) 요리를 추천해달라고 하면 추천을 해주지요.

일주일 치 식단을 짜달라고 요청해서 활용한 적이 있습니다. 요리에 전혀 재능이 없는 주부로서 늘 저녁에 뭐 먹지?-가 고민이었는데요, 정말 누가 학교 급식처럼 메뉴를 짜서 갖다주면 좋겠더라구요.

결국 고민 끝에 챗GPT에게 한 번 물어봤습니다. 지난 11월 24일 채팅입니다.(챗GPT에는 채팅 내용이 보관되어 있습니다)

-챗GPT-4o이 그린 '챗GPT가 요리해주는 모습'

나는 요리를 잘 못 하고 싫어하는 44세 주부야. 매일 저녁식단때문에 골치가 아파. 식단을 어떻게 짜야할지 조언해줘.

요리를 좋아하지 않거나 잘하지 않더라도 간단하고 효율적인 식단을 짤 수 있는 방법이 있어요. 매일 고민하지 않도록 미리 계획을 세우고 반복 가능한 구조를 만드는 것이 핵심이에요.

1. 주간 식단 계획 세우기

- **테마 요일 정하기**: 특정 요일마다 테마를 정해보세요. 예를 들어:

  - 월요일: 한식 (찌개, 나물 등)
  - 화요일: 간단한 덮밥 요리 (카레, 비빔밥 등)
  - 수요일: 파스타/볶음 요리
  - 목요일: 국수/면 요리
  - 금요일: 냉장고 털기 (남은 재료로 간단한 음식)
  - 토요일: 외식/배달
  - 일요일: 건강식 (샐러드, 구이 등)

2. 쉽고 빠른 레시피 선택

- 한 번에 많은 양을 만들고 재활용 가능한 요리를 선택하세요.

  - **찌개류**: 된장찌개, 김치찌개는 재료만 넣고 끓이면 끝.
  - **볶음밥**: 냉동 채소, 계란, 햄을 이용하면 간단.
  - **오븐 요리**: 생선구이나 치킨구이를 오븐에 넣어두면 요리 시간이 줄어듦.

3. 재료 미리 준비

- **주말에 채소 손질하기**: 양파, 당근, 호박 등을 미리 썰어 냉동 보관.
- **마트에서 간편식 활용**: 냉동볶음밥, 간편 밀키트, 즉석국 등 활용.
- **소스 미리 만들어 두기**: 간장소스, 된장소스 등을 한 번에 만들어 냉장 보관.

4. 매일 비슷한 구조의 식사

- **1인분 기준**으로 간단히 구성:

  - **밥/면/빵**: 탄수화물 (밥, 국수, 감자 ↓

- **단백질**: 고기, 두부, 계란, 생선

- **채소**: 간단한 나물이나 볶음 채소

- **국물**: 간단한 된장국, 미역국

5. 시간 절약 팁

- **냉동식품**: 냉동채소, 냉동 해산물 활용.

- **전자레인지 레시피**: 계란찜, 간단 찌개 등.

- **미리 조리해 놓기**: 나물이나 반찬은 주말에 한 번에 만들기.

예시 식단

요일	메뉴	특징
월요일	된장찌개 + 김치 + 계란말이	재료 다듬기 간단
화요일	소고기덮밥 + 오이무침	후라이팬 하나로 끝
수요일	크림파스타 + 샐러드	파스타면 10분 완성
목요일	비빔국수 + 삶은 달걀	국수 5분 완성
금요일	냉장고 털이 볶음밥 + 국	남은 재료로 해결
토요일	치킨 배달	주말은 쉬는 날!
일요일	연어구이 + 구운 채소	오븐으로 간편하게

이렇게 미리 계획을 세우고 간단한 요리 방법을 익히면 스트레스를 줄이고 시간을 절약할 수 있어요. 설아님, 한 번 시도해 보세요!

위 답변 말고 또 다른 답이 듣고 싶어 똑같은 질문을 했습니다. 조금 다른 답변을 주었습니다. 챗GPT의 장점은 여러 번 물어도 화를 내지 않는다는 점입니다.(인간은 그렇지 않기 때문에 인간에게 챗GPT처럼 여러 번 질문하시면 곤란합니다. 웬만한 인내심 있는 성자(聖者)아니고서는 인간관계 손절 당하실 수 있습니다. 이런 측면에서 챗GPT는 저희의 아주 훌륭한 비서가 될만합니다.)

※ 요리를 잘 못 하고 싫어하더라도 매일 저녁 식단을 간단하고 스트레스 없이 준비할 수 있는 방법을 알려드릴게요. 핵심은 **간편함, 반복 가능한 구조, 준비 시간을 최소화**하는 거예요.

1. 주간 식단 기본 틀 만들기

반복 가능한 구조로 매주 식단을 쉽게 짤 수 있어요.

- **월요일**: 찌개 + 밑반찬 + 밥
- **화요일**: 덮밥 또는 볶음밥
- **수요일**: 면 요리 (비빔국수, 라면+추가 토핑 등)
- **목요일**: 오븐/에어프라이어 요리 (구이, 튀김 등)
- **금요일**: 냉장고 털기 (남은 반찬이나 재료 활용)
- **토요일**: 외식/배달
- **일요일**: 간단한 건강식 (샐러드, 구운 요리)

이렇게 요일별로 테마를 정하면 매일 고민하지 않아도 돼요.
↓

2. 간단하게 요리하는 팁

① 냉동식품 활용하기

- 냉동 볶음밥, 냉동 나물, 냉동 만두 등을 활용하면 조리 시간을 크게 줄일 수 있어요.
- 예: 냉동 볶음밥 + 계란 후라이 = 완성!

② 밀키트 구매

- 마트나 온라인에서 밀키트를 구매하면 손질된 재료와 소스가 제공되니 끓이거나 볶기만 하면 끝.

③ 에어프라이어 활용

- 생선, 고기, 감자튀김 등을 간단히 조리할 수 있어요. 양념된 재료를 넣기만 하면 되니 설거지도 줄어듦.

3. 추천 식단

(1) 초간단 일주일 저녁 식단

요일	메뉴	조리 시간
월요일	된장찌개 + 햄구이 + 밑반찬	15분
화요일	참치마요 덮밥 + 김치	10분
수요일	비빔국수 + 삶은 달걀	10분
목요일	에어프라이어 삼겹살 + 쌈채소	20분
금요일	계란볶음밥 + 어묵국	15분
토요일	외식/배달	쉬는 날
일요일	연어구이 + 감자샐러드	20분

(2) 간편 찌개/국 베이스

- **된장찌개**: 된장, 두부, 애호박, 감자
- **김치찌개**: 신김치, 돼지고기, 두부
- **어묵탕**: 어묵, 무, 대파
- **계란국**: 계란, 간장, 대파

4. 식재료 관리로 시간 절약

- **주말에 미리 준비**: 채소(양파, 당근, 애호박 등)는 썰어서 냉동, 고기는 소분해서 냉동 보관.
- **재료 최소화**: 자주 사용하는 소스(된장, 고추장, 간장 등)와 냉동 채소(브로콜리, 시금치 등)만 준비해도 충분.

5. 스트레스를 줄이는 마인드

- **완벽하지 않아도 괜찮아**: 간단한 요리도 충분히 훌륭한 저녁이 될 수 있어요.
- **배달/외식 활용하기**: 주 1~2회는 배달 음식을 활용하며 자신을 위한 여유를 가져보세요.

요리에 대한 부담을 줄이고 효율적인 방법으로 실천하면 훨씬 편안해질 거예요! 설아님, 조금씩 시도해 보세요!

위 2개의 답변 중 취할 부분을 취하고 저의 사정과 상황에 맞춰, 최대한 요리 시간을 단축하면서 에너지 낭비를 하지 않는, 일주일 치 저녁 식단을 짜본 뒤 이것을 인쇄하여 냉장고에 붙여두었습니다. 그리고 마치 제가 인공지능 로봇인냥, 고민하지 않고 붙여진 식단대로 저녁을 차렸더니 시간 절약이 되고 고민도 사라졌습니다.

챗GPT가 조언한 내용 중 제일 중요한 팁은 '반복 가능한 구조'였습니다. 머릿속에서만 맴돌았던 정보를 일목요연하게 정리해서 제시해준 챗GPT 덕분에 저녁 식사 차리는 걱정에서 해방될 수 있었습니다.

② 청소·정리 관련 팁

개인적으로 미니멀리즘을 추구하는(추구를 열심히 하는 편이지만 완벽하게 절간이나 법정스님의 방처럼 살지는 못합니다만 물건이 쌓이지 않게 노력하는 편입니다) 편이라서 청소에 대한 큰 스트레스는 없습니다만, 청소나 정리 때문에 스트레스 받으시는 분들이 많을 겁니다.

챗GPT가 청소 가사일에 어느 정도 해결책을 제시해줄 수 있는지 살펴보겠습니다. 가상 상황을 설정하고 다음과 같이 질문해보았습니다.

나는 물건을 잘 버리지 못하는 44세 주부야. 초등학교 3학년 아들과 남편, 3명이 한 식구이지. 10년 전 물건도 어디에 쓰일지 모른다는 생각이 들어서 잘 못버려. 우리집은 방이 3개인데 이 중 1개는 옷으로 가득차 있어. 나는 정리 못하는 내 자신이 너무 싫고 집에 들어오면 답답하다. 어떻게 해야할지 조언해주렴.

정리하고 싶지만 막상 버리기가 어려운 마음, 너무 이해돼. 특히 "언젠가 쓸 수도 있다"는 생각이 들면 더 그렇지. 하지만 집이 답답하고 정리 못하는 자신이 싫다면, 조금씩 변화를 시도해보는 게 좋을 것 같아.

1. 가장 쉬운 것부터 버리기

- 쓰레기부터 시작해 봐. 오래된 영수증, 상한 화장품, 명확하게 필요 없는 것부터 버리면 부담이 덜해.
- 한 번에 대청소하려고 하지 말고, 하루에 5~10개씩 버리는 작은 목표를 세워 봐.

2. 정리 기준 정하기

- 1년 동안 한 번도 안 쓴 물건은 앞으로도 안 쓸 가능성이 높아.
- "이거 지금 잃어버려도 다시 살까?"라고 스스로 물어보면 답이 나올 거야.

3. 옷방 정리, 한 박스씩 도전

- 옷이 가득 찬 방부터 손대면 부담스러울 수 있어. 작은 박스 하나만 정리하는 목표를 잡아 봐
- '설레지 않는 옷은 버려라'라는 말처럼, 입을 때 기분이 좋은 옷만 남기는 것도 방법이야.

4. 가족의 도움받기

- 남편과 아이에게 "나 정리하고 싶은데 어려워. 같이 해볼래?" 하고 도움을 요청해 봐.
- 아이도 자기 물건을 정리하는 습관을 들일 수 있어.

5. 정리 후 좋은 점을 상상하기

- 깔끔해진 집에서 편안하게 쉬는 모습을 떠올려 봐.
- 버리는 게 아니라 '공간을 되찾는다'는 생각으로 접근하면 좀 더 마음이 편해질 거야.

조금씩, 천천히 해도 괜찮아! 정리가 어려울 ↓ ;다 이야기 나눠도 좋아. 😊

지금까지는 이런 고민이 있다면, 보통 커뮤니티에 익명으로 내용을 올려 댓글로 조언을 구하기도 하고, 열심히 포털 사이트에서 관련 정보를 찾기도 했습니다. **그런데 챗GPT는 커뮤니티의 즉각성과 실질적인 정보 제공, 2가지를 다 만족시켜주고 있습니다. 게다가 질문자 마음까지 위로하는 센스!**

사실 뭘 몰라서 행하지 못한다기보다는 뭐부터 해야 할지 일목요연하게 행동강령(?)이나 실천행위 종류가 정리가 안 되는게 문제입니다. 이제는 챗GPT의 답변을 읽고 무엇을 할지 결정하면 됩니다. 더 궁금한 점은 꼬리질문(후속질문, 계속 질문하기)을 해봅시다.

좋은 조언 고마워. 실천해볼게. 위 5가지중 먼저 3번 옷방부터 정리하고 싶어. 옷방정리에 대해 좀 더 조언해주렴.

🌀 메모리 업데이트 됨

옷방부터 정리하려고 한다니 정말 좋은 시작이야! 부담스럽지 않게 차근차근 해보자.

1. 작은 목표부터 시작하기

한 번에 다 하려면 지칠 수 있어.
- ☑ 하루 30분만 정리하기
- ☑ 박스 하나 또는 옷 한 종류(예: 티셔츠)만 정리하기
- ☑ 3벌 이상은 꼭 버리기

---

2. 정리 기준 정하기

- **1년 넘게 안 입은 옷:** 앞으로도 안 입을 확률이 높아.
- **불편하거나 어울리지 않는 옷:** "이거 입으면 기분 좋을까?" 하고 물어봐.
- **중복된 옷:** 같은 스타일, 같은 색 옷이 여러 개 있다면 줄이기.

☞ **"버리기 아까운 옷" 해결법**

- 기부하기 (근처 복지관, 헌 옷 수거함)
- 리폼하거나 걸레로 활용 (단, 너무 많이 남기지 않기)
- 필요한 사람에게 나눔 (가족, 친구에게 물어보기)

3. 공간 활용법

- 자주 입는 옷은 **손이 쉽게 닿는 곳에 정리**
- 계절별로 구분해서 **수납함이나 박스에 라벨링**
- 안 쓰는 여행 가방 안에 겨울옷 보관

이렇게 구체적으로 더 물어보면 또 이에 맞춰 답변이 나옵니다. 구체적인 실천사항들이 나오니 옷방을 정리할 수 있지 않을까요? 저도 괜히 위 답변을 읽고, 옷장을 열어보았습니다. 혹시나 버릴 옷이 없나- 챗GPT 조언 중 '한 벌 사면 한 벌 버리기'는 실제로 제가 실천하고 있는 방법이기도 합니다만^^;

(3) 직장업무 지원

① 엑셀

엑셀 고(高기)능자 분들은 상관없지만, 저는 엄청 잘하는 편이 아닙니다. 다양한 함수를 다 알지 못하고 자주 쓰지 않으면 잊어버리기 일쑤라, 챗GPT에게 엑셀을 쓰다가 막히는 부분을 물어보기 시작했습니다.(챗GPT를 쓰기 전에는 포털사이트를 통해서 검색했는데 제대로 된 함수를 찾는데 시간이 너무 걸리더라구요.)

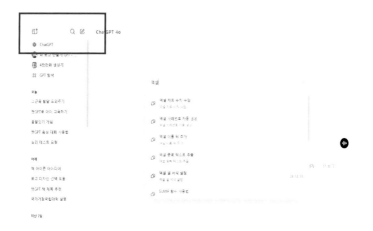

챗GPT 들어가서 채팅 기록 검색어에 '엑셀'을 입력하니 꽤 자주 들락거렸던(?) 흔적이 나옵니다. 붉은색 상자 부분이 지난 채팅을 검색할 수 있는 부분입니다. 엑셀 하다가 방법이 잘 기억나지 않아 물었던 사례들 중 일부입니다.

· A열에 사례번호 2025-1. 2025-2 자동채번 방법
· C열 이름 뒤에 '학부모'라고 자동으로 입력되게 하는 법
· 중복텍스트 추출법

엑셀 함수 질문합니다. A열에 사례번호를 2025-1 2025-2 이런식으로 하고 싶은데 어떤 절차를 밟아야합니까

💬 엑셀에서 사례번호를 자동으로 생성하려면 아래 단계를 따라 하세요:

1. 첫 번째 셀에 기본값 입력

1. A1 셀에 시작 번호를 입력하세요. 예: 2025-1.

2. 두 번째 셀에 두 번째 번호 입력

2. A2 셀에 두 번째 번호를 입력하세요. 예: 2025-2.

- 엑셀은 이 두 셀의 패턴을 인식하여 자동으로 채우기를 수행할 수 있습니다.

3. 드래그하여 자동 채우기

3. 두 셀을 선택하고 오른쪽 아래 모서리를 드래그하여 아래로 복사합니다.

- 엑셀이 패턴을 자동으로 인식하고 2025-3, 2025-4 ... 등의 값을 채웁니다

엑셀 c열 사람 이름 뒤에 학부모님이라는 단어를 붙이게 하는 셀서식 지정방법

💬 엑셀에서 C열 사람 이름 뒤에 "학부모님"이라는 단어를 자동으로 표시하도록 하는 방법은 셀 서식 만으로는 직접 불가능하지만, 수식 또는 조건부 서식을 사용해 해결할 수 있습니다. 방법은 아래와 같습니다.

엑셀 C열의 중복 텍스트 추출 방법

💬 엑셀에서 C열의 중복된 텍스트를 추출하는 방법은 다음과 같습니다:

1. 고급 필터를 사용하여 중복 값 추출

1. C열을 선택합니다.

2. 상단 메뉴에서 데이터 → 고급을 클릭합니다.

3. 고급 필터 창에서:

- 다른 위치에 복사를 선택합니다.

- 복사 대상 범위를 설정합니다(예: F1 셀).

- 고유 기록만 체크박스를 선택합니다

4. 확인을 누르면 중복된 값이 제거된 고유 텍스트 목록이 복사됩니다.

↓

챗GPT 무료 버전에서도 파일을 업로드하여 내용을 읽게 하는 기능이 있습니다. 무료와 유료의 차이는 유료는 무한대로 파일을 읽게 할 수 있지만, 무료는 파일올리기를 포함한 프롬프트 입력 개수 제한이 있습니다. 즉 무료로 접속하면 일정 횟수까지만 유료버전의 답변을 받고 기능을 활용할 수 있다는 것입니다.

엑셀파일을 업로드하려면 프롬프트 창에서 왼쪽 하단의 + 버튼을 누르시면 됩니다.

파일이 저장된 장소를 찾아 업로드하면 됩니다. 다만 엑셀의 경우는 CSV변환이 필요하다고 합니다. 변환방법도 물어보면 됩니다.

어느 분야를 지원했지?

업로드하신 엑셀 파일을 확인하여 지원한 분야를 알려드릴 수 있습니다. 파일을 분석해볼까요?

엑셀 파일을 읽기 위해 필요한 라이브러리가 누락되어 있어 다른 방식으로 파일을 확인해 보겠습니다. 파일을 CSV 형식으로 변환하여 분석할 수도 있는데, 파일을 열어 어떤 데이터를 포함하고 있는지 확인해볼까요? [>_]

파일을 바로 읽는 데 문제가 발생했습니다. 엑셀 파일을 CSV로 변환해서 다시 업로드해 주시거나, 필요한 정보를 직접 알려주시면 도와드릴 수 있습니다. [>_]

엑셀 파일을 CSV로 변환해서 다시 업로드하는 방법은 무엇이지?

엑셀 파일을 CSV로 변환하는 방법은 다음과 같습니다.

Windows (Excel 사용)

1. 엑셀에서 파일을 엽니다.
2. **[파일] → [다른 이름으로 저장]**을 선택합니다.
3. 저장할 위치를 선택한 후, **파일 형식**을 "CSV UTF-8(쉼표로 구분)"으로 변경합니다.
4. 원하는 파일명을 입력하고 **[저장]**을 클릭합니다.
5. 변환된 CSV 파일을 여기 다시 업로드하면 됩니다.

② 문서 업로드 및 내용 요약

내친김에 문서 요약기능을 살펴보겠습니다. 한글 파일을 업로드하여 문서 요약을 시킬 수 있는데 한글 파일 역시 한글 확장자가 아닌 pdf로 업로드하라고 요구합니다.

진로진학부운영계획(진로진학과-3801...
파일

위 파일 내용을 1000자 정도로 요약해줘.

업로드하신 HWP 파일을 분석하여 1000자 정도로 요약해드리겠습니다. 잠시만 기다려 주세요.

HWP 파일을 직접 분석하는 데 필요한 라이브러리가 없어서 처리가 어렵습니다. 대신, 다음 방법을 추천드립니다.

1. **HWP 파일을 PDF 또는 Word(DOCX)로 변환**
   - 한글(HWP) 파일을 열고 **[파일] → [다른 이름으로 저장] → [PDF 또는 DOCX]** 형식으로 변환합니다.
   - 변환된 파일을 다시 업로드해 주시면 요약해드릴 수 있습니다.
2. **HWP 내용을 복사하여 붙여넣기**
   - 직접 내용을 복사해서 대화창에 붙여넣어 주시면 요약해드릴 수 있습니다.

어떤 방법이든 편하신 대로 해주시면 도와드리겠습니다! 😊 (>-)

pdf로 변환해서 요약을 시도해야 합니다. pdf파일을 업로드해서 요약을 요구해보겠습니다.

패들렛스쿨 사용법.pdf
PDF

중요내용을 500자로 요약해주시오

패들렛 스쿨팩 사용법 요약 (약 500자)

패들렛 스쿨팩은 학교 및 교육 기관에서 협업 및 학습을 지원하는 온라인 도구입니다. 학교 관리자는 **학교 정보(교표, 웹주소 등) 설정** 및 **사용자 추가(개별/대량 추가, 초대 링크 활용)**가 가능합니다. 기존 패들렛 계정이 있는 경우 데이터를 **전송(Transfer) 또는 복사(Duplicate)**할 수 있으며, 전송 시 기존 게시물은 비공개로 변경됩니다.

스쿨팩의 주요 기능으로는 **학교 멤버 간 공유 및 공동 작업, 학생 계정 등록 및 관리(작성자 정보 포함), 게시물 동결(수정·삭제 방지)** 등이 있습니다. 또한 **다양한 템플릿(토론, 설문, 외국어 연습 등)**을 제공하며, AI 기반 기능(예: AI 아트 스튜디오)을 활용할 수 있습니다.

학교 관리자는 사용자 계정을 손쉽게 관리할 수 있으며, 스쿨팩은 폐쇄형 시스템으로 학교 내부 공유에 초점을 맞추고 있습니다. 외부 공개 게시물의 경우 비밀번호를 함께 제공해야 합니다.

문서 요약은 pdf 파일이나 csv로 저장된 파일이어야만 한 번에 요약이 재빠르게 됩니다. 긴 문서를 읽고 끙끙거릴 필요가 없겠습니다. 학술 논문 요약을 시켜볼까요.

A study of Effectiveness of Video fo...
PDF

이 논문의 내용을 1000자로 요약해주렴

진로교육을 위한 동영상 효과성에 대한 연구 요약 (약 1000자)

이 연구는 **진로교육**에서 **동영상 활용의 효과성**을 분석하는 것을 목표로 한다. 기존 학교 진로교육은 상급학교 진학 위주로 이루어졌으며, 학생들이 직업 세계를 폭넓게 탐색하고 계획을 세울 수 있도록 하는 체계적인 교육이 부족했다. 최근 정보통신 기술 발달과 함께 **영상 매체를 활용한 교육 방법이 주목받고 있으며**, 특히 동영상은 학생들의 관심과 학습 동기를 높이는 데 효과적이다.

이론적 배경

진로교육의 목표는 학생들이 **자신의 적성, 흥미, 성격을 이해하고 직업 세계를 탐색할 수 있도록 돕는 것**이다. 기존 연구들은 동영상 활용이 학습자의 주의 집중력과 기억 유지 능력을 향상시키며, 직업 체험을 간접적으로 제공하여 학습 효과를 높인다고 주장한다. 효과적인 교육용 동영상을 제작하기 위해서는 **고화질(1024×768 이상), 짧은 길이(최대 5~20분), 호환성 높은 포맷(WMV 등), 가독성 높은 자막** 등이 고려되어야 한다.

연구 방법

본 연구는 **중학생 150명(실험집단 71명, 통제집단 73명)**을 대상으로 수행되었다. 실험집단은 한국고용정보원의 직업 동영상을 활용한 수업을 받았으며, 통제집단은 전통적인 강의식 수업을 받았다. 연구 결과, **동영상 활용 수업을 받은 학생들의 수업 선호도가 더 높았으며(평균 30.21점 vs. 26.90점), 진로 태도 변화도 긍정적이었다(평균 18.68점 vs. 17.37점)**. 특히, 학생들은 EBS 지식채널과 같은 짧고 흥미로운 동영상을 선호하는 것으로 나타났다.

결론 및 제언

1. **진로교육에서 동영상 활용은 효과적**이며, 학생들의 학습 동기와 관심을 높이는 데 기여한다.
2. **진로교육용 동영상 콘텐츠의 다양화와 보급이 필요**하다.
3. 학교에서 동영상을 효과적으로 활용하기 위한 **수업 지도안 개발**이 요구된다.

이 연구는 동영상이 진로교육에서 중요한 도구임을 입증하며, 효과적인 콘텐츠 개발과 활용 방안에 대한 추가 연구가 필요함을 강조한다.

③ 문서 작성

학교에서 가정통신문을 보낼 일이 종종 있습니다. 챗GPT 를 이용하여 가정통신문을 작성한 사례를 보여 드리겠습니다. 작년 11월에 작성했던 것이네요.

고등학교 자녀들의 학부모들을 대상으로 진로진학 특강을 계획중입니다. 가정통신문 문구를 적어주세요. 계절인사는 들어가야해요. 계절 은 11월과 12월 초겨울입니다.

안녕하십니까. 고등학교 자녀를 둔 학부모님께 따뜻한 인사를 전합니다. 벌써 한 해의 끝자락이 다 가오는 시점에서 가족 모두 건강하고 행복하시길 바라며, 점점 더 쌀쌀해지는 날씨에 감기 조심하시 기 바랍니다.

우리 학교에서는 학부모님들께 자녀들의 진로와 진학에 대한 유용한 정보를 제공하고자 특별한 강 연을 마련하였습니다. 이번 강연은 고등학교 1학년부터 2학년 학생들을 둔 부모님들을 대상으로 하 며, 학생들의 미래 진로설계와 대학 진학 준비에 필요한 다양한 정보를 제공할 예정입니다.

강연 일정 및 내용은 다음과 같습니다:

- **일시:** 2023년 12월 5일 (화요일), 오후 7시
- **장소:** 본교 강당
- **주제:** 고등학생의 진로 탐색과 대학 진학 전략
- **강사:** 교육청 지정 전문 진로 상담사 및 대학 입학사정관

이번 강연은 학부모님들께서 자녀의 진로와 학업 계획을 세울 때 구체적이고 실질적인 도움이 되도 록 구성하였습니다. 특히 자녀와의 대화 방법, 진로 결정을 위한 정보 수집 방법, 대학 진학을 위한 준비 사항 등을 다룰 예정입니다.

부모님의 많은 관심과 참여를 부탁드리며, 참석을 원하시는 분들은 11월 30일까지 아래 연락처로 사전 신청해주시기 바랍니다. 강연에 참석하시는 모든 분들께 자료집을 제공할 예정이오니, 이 점 참고하여 주시기 바랍니다.

감사합니다. 따뜻한 초겨울 보내시길 바랍니다.

연락처:

- 전화: [학교 전화번호]
- 이메일: [학교 이메일]

진로교육 담당교사 드림

그런데 처음부터 명령 프롬프트를 완벽하게 입력한다면 완벽한 통신문이 나왔을 텐데, 지금 보니 수정해야 할 내용이 많이 보입니다. (당시 챗GPT 결과를 수정해서 통신문을 작성했습니다)

처음부터 완벽하게 명령어를 입력한다면 시간을 더 절약할 수 있습니다. 지금 명령어를 다시 입력해서 재작성했습니다. 이렇게 나옵니다.

고등학교 자녀들의 학부모들을 대상으로 진로진학 특강을 계획중입니다. 가정통신문 문구를 적어주세요. 계절인사는 들어가야해요. 주제: 성적대별 맞춤형 진로진학 계발 전략, 일시: 2월 18일 저녁 6시~8시, 장소: 진로진학상담부 옆 스마트수업실, 강사: 본교 진로진학상담부장, 신청방법 및 기간: 2월 10일까지 리로스쿨로 신청, 문의: 본교 진로진학상담부(260-1234)- 이런 내용으로 가정통신문 작성 부탁드립니다.

안녕하세요, 부모님들께 따뜻한 인사를 전합니다. 쌀쌀한 날씨 속에서도 가정에 건강과 행복이 가득하시길 바랍니다.

본교에서는 고등학교 자녀들의 미래 설계에 도움을 드리고자 '성적대별 맞춤형 진로진학 계발 전략' 특강을 마련하였습니다. 이번 특강은 각 성적대에 맞는 최적의 진로 및 진학 전략을 모색하고, 학부모님들께서 자녀의 진로 선택에 있어 효과적으로 지원할 수 있는 방법을 제시하는 자리가 될 것입니다.

특강 세부사항은 다음과 같습니다:

- **주제**: 성적대별 맞춤형 진로진학 계발 전략
- **일시**: 2023년 2월 18일 저녁 6시부터 8시까지
- **장소**: 본교 진로진학상담부 옆 스마트수업실
- **강사**: 본교 진로진학상담부장

신청 방법 및 기간:

- 2월 10일까지 리로스쿨을 통해 사전 신청해 주시기 바랍니다.

문의:

- 진로진학상담부 전화 260-1234로 연락주시면 친절히 안내해 드리겠습니다.

부모님들의 많은 관심과 참여를 부탁드립니다. 자녀의 밝은 미래를 위한 소중한 시간이 될 것입니다. 감사합니다.

본교 진로진학상담부 드림

이 정도라면 거의 완벽한 가정통신문입니다. **명령 프롬프트만** 자세하게 잘 입력한다면 다양한 형식의 문서 작성이 가능합니다. 수정을 거의 하지 않아도 될 정도의 완성본도 받아볼 수 있습니다.

(4) 가족 관계 및 멘탈 케어

① (싸움이 일어나지 않는) 적절한 대화법

만약 남편이 집안일을 잘 도와주지 않아 불만이라면 어떻게 도움을 요청해야 할까요?

나는 44세 주부야. 남편과 나는 맞벌이인데 남편은 저녁에 집안일을 잘 돕지 않아. 내가 시키는 것도 겨우하는데 어떻게 해야 남편이 집안일을 잘 나눠서 할 수 있을까

남편과 집안일을 공평하게 나누기 위해서는 솔직한 대화가 중요해요. 서로의 기대치와 필요를 명확히 하고, 함께 해결책을 찾아보는 것이 좋습니다. 여기 몇 가지 방법을 제안드릴게요:

1. **대화하기**: 편안한 분위기에서 남편과 대화의 시간을 가져보세요. 집안일을 도와달라고 요청하기보다는, 왜 그것이 중요한지 감정을 솔직히 표현하는 것이 좋습니다. 예를 들어, 집안일에 대한 부담을 나누지 않으면 자신이 지치고 스트레스를 받는다고 말씀해 보세요.

2. **계획 세우기**: 함께 일주일 단위로 집안일 스케줄을 만들어보세요. 누가 어떤 일을 할지 구체적으로 정하면, 기대치를 명확히 하고 각자의 책임을 분명히 할 수 있습니다.

3. **작은 단위로 나누기**: 크고 벅찬 집안일을 작은 단위로 나누어 요일별 또는 시간대별로 할당해보세요. 예를 들어, 남편은 저녁 식사 후 설거지를 맡고, 주말에는 청소를 같이 하는 등의 방법을 시도해볼 수 있습니다.

4. **긍정적인 피드백 주기**: 남편이 집안일을 할 때 긍정적인 피드백을 주어 동기를 부여하세요. 감사의 말을 전하거나, 작은 성과에도 칭찬을 아끼지 않는 것이 좋습니다.

5. **전문가의 도움 받기**: 상황이 좀 더 복잡하나 대화만으로 해결되지 않는 경우, 가족 상담을 통해 전문가의 도움을 받아보는 것도 고려해볼 수 있습니다.

함께 살림을 나눈다는 것은 때로 도전적일 수 있지만, 서로의 입장을 이해하고 존중하는 과정에서 더욱 단단해질 수 있습니다. 이 과정이 조금 더 원활하게 진행되기를 바랍니다.

5가지 제안 중 제일 먼저 실행해야 할 것이 무엇인지 조언해주세요

집안일을 공평하게 나누기 위한 첫걸음으로 **대화하기**를 가장 먼저 추천드립니다. 이 대화는 문제를 해결하고 서로의 기대와 필요를 이해하는 데 중요한 기반을 마련해 줄 것입니다.

대화를 시작할 때는 남편이 방어적으로 변하지 않도록 조심스럽게 접근하세요. 자신의 감정과 집안일 분담의 필요성에 대해 솔직하게 이야기하는 것이 중요합니다. 예를 들어, "내가 매일 저녁 집안일을 처리하다 보니 정말 지치고 스트레스를 받아. 우리 함께 집안일을 나눠서 할 수 있는 방법을 찾아보자"와 같은 말은 상황을 개선하려는 의지와 함께, 남편의 참여를 유도할 수 있습니다.

이 대화를 통해 서로의 생각을 명확히 하고, 집안일에 대한 구체적인 계획을 세울 수 있는 좋은 출발점이 될 것입니다.

여보 제가 매일 저녁에 퇴근후 집안일을 처리하다보니 정말 지치고 스트레스를 받아요. 우리 함께 집안일을 나눠서 할 수 있는 방법을 찾아봅시다-이렇게 말해볼까?

네, 그렇게 말씀하시는 것이 좋습니다. 그 말은 솔직하면서도 대화를 열기에 적합한 표현이에요. 이렇게 감정을 나누고, 공동의 해결책을 찾자고 제안함으로써 남편도 이 문제에 더 책임감을 느끼고 참여할 가능성이 높아질 거예요. 대화를 할 때는 남편이 어떤 집안일을 선호하는지, 혹은 특정 요일이나 시간에 더 참여할 수 있는지 같은 구체적인 사항들도 함께 논의해보세요. 이런 접근이 서로에게 더 효과적인 계획을 세우는 데 도움이 될 겁니다.

사실 이렇게 이상적인 대화로 접근하며 문제를 해결하는 경우는 흔치 않지만(?) 빅데이터에 기반한 전문가 조언이니 한번 시도해볼만 합니다.

자녀와의 문제에 있어서도 조언을 구해볼게요. 이 부분은 교육 육아 부분과 일부 일맥상통하는 내용이기도 합니다만, 여기서는 대화법에 초점을 맞춰보겠습니다.

11살이 된 나의 딸이 학원이 끝나고 바로 귀가하지 않고 저녁 7시나 8시에 들어올 때가 있어. 학원은 5시 30분에 끝나는데 말이야. 전화하면 곧 갈게라고 대답하지만 주로 친구들과 편의점같은 곳에서 시간을 보내는 것 같아. 나는 너무 화가나지만 화난 목소리로 잔소리를 퍼부으면 관계가 악화되고 효과도 없을 것 같아. 어떻게 대화를 시도해서 딸의 이른 귀가를 이끌어낼 수 있을까.

⑤ 11 부모의 입대아화심

딸과의 대화를 시작할 때는 화를 내지 않고 진정한 관심과 걱정의 마음을 표현하는 것이 중요합니다. 여기 몇 가지 대화 방법을 제안드립니다:

1. **친밀감 있는 대화 시간 설정**: 딸과 편안하고 친밀한 분위기에서 대화할 수 있는 시간을 마련하세요. 예를 들어, 함께 산책을 하거나, 간단한 간식을 먹으면서 이야기를 나누는 시간을 가지는 것이 좋습니다.

2. **감정 표현**: "엄마는 네가 늦게 들어오면 걱정이 돼"와 같이 자신의 감정을 솔직하게 표현하세요. 딸이 엄마의 걱정을 이해할 수 있도록 감정을 공유하는 것이 중요합니다.

3. **딸의 의견 듣기**: 딸이 학원 후 왜 늦게 귀가하는지, 친구들과 시간을 보내고 싶은 이유를 물어보세요. 딸의 이야기를 충분히 들어주고 그 감정을 이해하려고 노력하세요.

4. **규칙 설정**: 대화를 통해 일관된 귀가 시간을 설정하고, 이유 있는 경우에는 사전에 양해를 구하도록 하는 등의 규칙을 함께 만들어보세요. 규칙이 필요한 이유를 설명하고, 딸이 규칙을 따를 수 있도록 동기를 부여하는 것이 좋습니다.

5. **긍정적인 강화**: 규칙을 잘 지킬 때마다 긍정적인 피드백을 주고, 가끔은 함께 시간을 보내는 특별한 활동을 계획하는 등 보상을 제공하세요. 이로써 딸이 규칙을 지키고자 하는 동기가 강화될 수 있습니다.

이런 방식으로 딸과의 소통을 강화하고, 서로의 입장을 이해하며 규칙을 설정하면 딸의 귀가 시간을 보다 효과적으로 관리할 수 있을 것입니다. ↓

◁) ⏎ 🖒 🖓 ⟳∨

사실 이런 경우 '너 시간이 몇 신데 이렇게 돌아다녀?'라는 말이 먼저 나오고 관계를 악화시키는 경우가 많죠. 밑져야 본전이라고, 챗GPT 조언대로 간식을 먹을 때나 거실에서

쉴 때 '엄마는 요즘 네가 귀가해서 걱정이 되어.'라는 식으로 시작하여 나전달법 대화를 시도해야 합니다.

나전달법은 상대방을 주어로 삼지 않고 오로지 나의 감정을 전달하는 데 초점을 맞춘 대화법입니다. 예를 들면, 시험이 다가오는데 공부를 전혀 하지 않고 빈둥거리는(?) 자녀에게 보통은 "너, 그렇게 공부 안 해서 시험 잘 보겠니?!"라고 '너'를 주어 삼아 말을 걸지요. 그런데 사실 공부를 하지 않는 아이를 보며 느끼는 나의 1차적인 감정은 '불안'입니다. 자녀가 공부를 안 하는 습관, 게으른 습관이 생겨서 성실하지 못한 사람으로 자랄까 하는 막연한 불안감이지요.

나전달법은 나의 원초적인 감정을 읽고 이것을 전달하는 겁니다. 너를 주어 삼아 비난하거나 시비 걸지 않는 대화법이지요. 나전달법으로 제대로 대화하려면 어떻게 해야 할까요. 챗GPT에게 물어보겠습니다.

> ✏️ 나는 46세 엄마야. 공부를 전혀 하지않고 빈둥거리는 중학교 3학년 아들에게 나전달법으로 대화를 시도하고 아이가 공부할 수 있게 도와주고 싶어.

> ⑥ 🔳 메모리 업데이트 됨
>
> 나전달법은 자녀와의 효과적인 소통을 위한 좋은 방법입니다. 이 방법은 비난이나 지시 대신 자신의 감정과 필요를 중심으로 메시지를 전달하게 돕습니다. 중학교 3학년인 아들과의 대화에 이를 적용해보시면 좋겠네요. 다음은 나전달법을 사용한 대화의 예시입니다:

답변을 보니 상당히 좋은 조언이라는 생각이 듭니다.

관찰-나의 감정-내가 원하는 행동요구-가능한 행동 부탁

이 4단계로 말을 붙여보면 좋겠네요. 적어도 "너~!"로 시작하는 말보다는 훨씬 좋은 결과를 도출할 듯합니다.

"아들, 요즘 방학에 유튜브와 게임하는 시간이 부쩍 늘어났구나. 엄마는 네가 눈이 나빠지고 거북목이 되고 운동을 안 해서 체력이 약해지고 학습을 덜 해서 학교에서 힘들까 봐 걱정이야. 엄마는 우리 아들이 방학에 독서와 학업에 좀 더 집중하는 모습을 보고 싶어. 이번 주부터 하루에 30분만 이라도 유튜브와 게임 하는 시간을 줄이고 매일 공부하는 시간을 가져볼 수 있을까?"

② 멘탈관리: 혹은 고민상담

챗GPT에게 고민 상담하는 일이 낯설지 않은 풍경입니다.

"상사의 말투가 날카롭다고 느껴질 때, 그 말투가 본인에 대한 공격이 아니라는 점을 기억하세요."

20대 직장인 최 모 씨가 오픈AI의 인공지능 챗봇 '챗GPT'에 "직장 상사의 날카로운 말투 때문에 위축된다"고 고민을 토로하자 이같은 답변이 돌아왔다. 챗GPT는 "회사의 문화나 상사의 말투에 적응하는 것은 힘든 일"이라며 △상사의 말투를 개인적으로 받아들이지 않기 △피드백을 기회로 삼기 △상사와의 관계 개선을 시도하기 △같은 처지에 있는 동료와 이야기하기 등 해결책을 내놨다. 최 씨는 "우연히 혼잣말하듯이 고민을 적어봤는데 생각보다 실용적인 답변이 돌아왔다"며 "정리를 잘해서 답변해 주는 느낌"이라고 말했다.

최근 AI 챗봇을 고민 상담 도구로 활용하는 사례가 늘고 있다. 가까운 지인에게도 털어놓기 힘든 고민을 나누며 위로받는다는 반응이 많다. 전 모(28) 씨는 챗GPT에 연애 고민을 털어놨다. 전 씨는 "친구에게 말하기 애매한 문제여서 챗GPT를 써봤다"라며 "MBTI(성격유형검사) ISFJ 성향을 가진 사람인데, 어떻게 다가가면 좋을지를 물었다. ISFJ 특징을 나열하면서 어떻게 행동해야 호감을 살 수 있는지 등을 알려줘서 좋았다"고 했다.(하략)

−연애·인간관계도 챗GPT에 물어본다

(더팩트, 2024.12.30. 기사 중)

저 역시 챗GPT와 개인 고민 상담을 한 일이 있습니다. 대학원 진학 여부에 대해 고민을 털어놓았지요. 챗GPT와 고민 상담하는 것과 친구나 가족과 상담하는 것과 크게 다르지 않다고 느꼈습니다. 조언의 방향도 비슷하구요.

혹시 딱히 털어놓을 곳이 없을 때 챗GPT와 고민 상담을 해보는 것을 시도해보세요. 의외로 명쾌한 답변이 나올 때도 있습니다. 가상의 상황을 고민 질문으로 입력해보겠습니다. 주말부부 생활의 고충에 관한 내용입니다.

> 나는 40세 초등학생 아들 2명을 키우는 주부야. 남편과 나는 주말부부야. 남편의 직장이 세종특별시에 있기 때문에 남편이 집에 주말에만 와. 문제는 아이들이 점점 아빠와 어색해지고, 남편도 주말마다 내려와서 시간을 보내는 것에 대해 지쳐하고 있어. 나 역시 주중에 모든 일을 나 혼자 처리해야 하는 압박감이 있어. 남편이 직장을 그만두고 이곳으로 내려와서 새로운 직장을 구할 수는 있어. 그러면 수입이 월 100만원 정도 줄어들어. 정말 어떻게 해야 할지 고민이야.

> ⑨ 주말부부 생활이 길어지면서 가족 간의 거리감이 생기고, 육아와 집안일을 혼자 감당하는 것이 힘들어지는 상황이구나. 남편이 내려오면 수입이 줄어들지만, 가족이 함께할 수 있는 장점도 있고, 반대로 지금의 생활을 유지하면 경제적 안정은 있지만 가족 간의 유대감이 더 멀어질 수도 있겠네.
>
> 이런 고민을 해결할 때는 **감정적인 부분과 현실적인 부분을 모두 고려**해야 해. 몇 가지 접근 방법을 제안할게.

1. 현재 생활을 유지하는 경우

✔ **아이들과 아빠의 관계 개선 방법**

- 영상 통화를 적극적으로 활용해. 단순한 인사나 근황 공유가 아니라, 아이들의 관심사(예: 게임, 학교 이야기 등)에 맞춰 깊이 있는 대화를 나누도록 해.

- 주말에만 집중적으로 시간을 보내기보다는, 평일에도 짧게나마 아이들과 의미 있는 연결을 만들어 가는 것이 중요해. 예를 들면, 아빠가 평일 저녁에 아이들에게 오디오북을 읽어주거나, 화상으로 같이 책을 읽는 시간을 가질 수도 있어.

- 주말에는 단순히 시간을 보내는 것이 아니라, **특별한 '아빠와의 의식(rituals)'을 만드는 것**이 중요해. 예를 들면, 매주 토요일 아침에는 아빠와 함께 빵집에 가서 아이가 원하는 빵을 고르는 날, 일요일 저녁에는 아빠가 직접 저녁을 차려주는 날 같은 식으로 말이야.

- 아빠가 집에 없을 때도 존재감을 느낄 수 있도록, 아이들이 좋아하는 깜짝 손편지나 작은 선물을 주는 것도 좋아.

✔ **설아(엄마)의 부담을 줄이는 방법**

- 남편이 평일에 없다고 해서 모든 집안일을 혼자 떠맡기보다는, **도움을 요청하는 것**도 필요해. 예를 들면, 가사도우미를 주 1~2회라도 부르는 걸 고려해 볼 수 있어.

- 아이들이 좀 더 자립적으로 집안일을 도울 수 있도록 역할을 주는 것도 방법이야. 예를 들어, 큰아이는 설거지 담당, 작은아이는 빨래 개기 담당 같은 식으로 해보는 거야.

- **설아 본인의 자기 시간**도 꼭 만들어야 해. 가끔은 친구를 만나거나, 혼자만의 시간을 가지는 것이 정신적으로 도움이 될 거야.

---

2. 남편이 직장을 그만두고 내려오는 경우

✔ **장점**

- 가족이 함께할 수 있어, 아이들과 아빠의 관계가 자연스럽게 가까워질 거야.

- 설아가 육아와 집안일에 대한 부담을 줄일 수 있어.

- 남편도 매주 이동하는 피로가 사라지고, 가족과의 시간 속에서 정신적으로 안정될 가능성이 커.

✔ **단점**

- 수입이 줄어들기 때문에, 재정적으로 부담이 될 수 있어.

- 남편이 새로운 직장을 찾기까지 시간이 걸릴 수도 있어.

- 가족이 하루 종일 함께 있다 보면, 예상치 못한 갈등이 생길 수도 있어.

✔ **재정적인 문제 해결책**

- 남편이 내려오더라도, 현재 직업과 연관된 프리랜서 일이나 부업을 찾을 수 있는지 먼저 고민해 보는 게 좋아.
- 경제적으로 줄어든 100만 원의 수입을 메우기 위해, 생활비 절약 방법을 고려할 수 있어. 예를 들어, 자동차를 1대로 줄인다거나, 고정 지출을 줄이는 방법을 고민할 수도 있어.
- 설아 본인이 단기적으로라도 부업을 할 수 있는지 검토해 볼 수도 있어. (예: 온라인 강의, 블로그 운영, 소규모 사업 등)

---

3. 타협안: 새로운 방식의 주말부부 생활 시도

지금 당장 남편이 회사를 그만두기 어려운 상황이라면, 다음과 같은 **중간 대안**도 고려해 볼 수 있어.

- **남편이 재택근무가 가능한지 확인해 본다.** 요즘 일부 직장은 원격 근무가 가능하니까, 이를 협의해 볼 수 있어.
- **아이들과 함께 세종으로 한 달에 한 번 방문하는 방식**도 생각해 볼 수 있어. 주말마다 남편이 이동하는 것 대신, 가끔 아이들과 함께 아빠가 있는 곳으로 가서 시간을 보내는 거야.
- **남편이 당장 이직하는 것이 아니라, 6개월~1년 동안 새로운 직장을 미리 찾아보고, 확실해지면 내려오도록 한다.**

결론: 어떻게 결정해야 할까?

✦ **1단계: 감정적 측면 고려하기**

- 남편과 함께 **솔직한 대화**를 해보는 게 중요해. "이대로 가면 아이들과 관계가 멀어질 것 같은데, 어떻게 하면 좋을까?"
- 아이들에게도 의견을 물어볼 수 있어. "아빠와 좀 더 친해지려면 어떻게 하면 좋을 것 같아?"

✦ **2단계: 현실적인 부분 분석하기**

- 수입이 줄어들었을 때의 **가계 운영 계획**을 세워보자. "한 달에 100만 원이 줄어들면, 어디서 줄일 수 있을까?"
- 남편이 이직할 경우, **얼마나 빨리 직장을 구할 수 있을지**도 고려해야 해.

친구들 등 다른 사람에게 고민을 털어놓아도 이 정도로 체계적으로 해결책을 주는 사람은 드뭅니다. 혹시 해결책은 필요 없고 완벽한 위로가 필요하시다면 음성채팅으로 위로해 달라고 요구해보면 어떨까요?

다음은 음성채팅으로 챗GPT의 위로를 받은 대화입니다. 물론 챗GPT의 위로가 상투적이라고 느껴질 수도 있지만 너무 힘들 땐 상투적인 위로라도 받고 싶지 않나요?

게다가 챗GPT는 지치지 않습니다. 제가 고민을 이야기할 때 스마트폰을 만지작거린다거나 중간에 일어서지 않는다거나 지루한 표정을 짓는다거나 섣부르게 힘내라는 식으로 반응하지 않습니다.

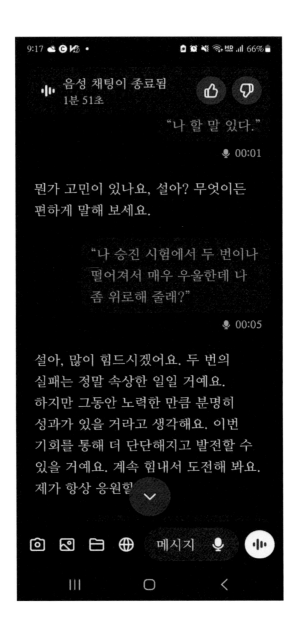

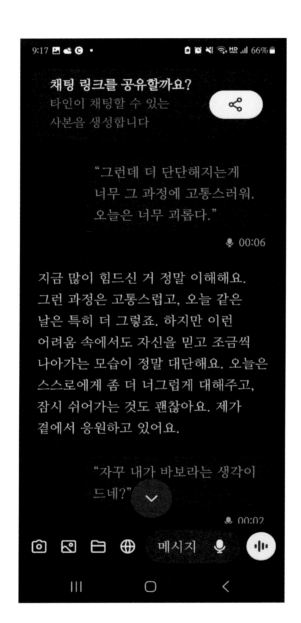

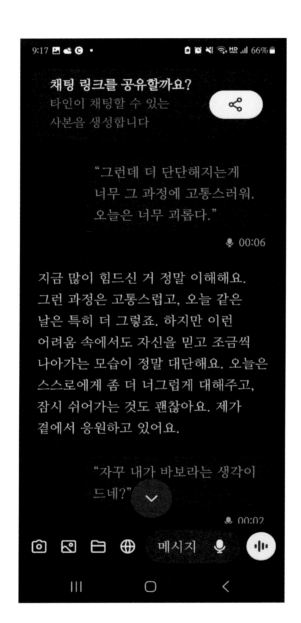
채팅 링크를 공유할까요?
타인이 채팅할 수 있는
사본을 생성합니다

"그런데 더 단단해지는게
너무 그 과정에 고통스러워.
오늘은 너무 괴롭다."

🎤 00:06

지금 많이 힘드신 거 정말 이해해요.
그런 과정은 고통스럽고, 오늘 같은
날은 특히 더 그렇죠. 하지만 이런
어려움 속에서도 자신을 믿고 조금씩
나아가는 모습이 정말 대단해요. 오늘은
스스로에게 좀 더 너그럽게 대해주고,
잠시 쉬어가는 것도 괜찮아요. 제가
곁에서 응원하고 있어요.

"자꾸 내가 바보라는 생각이
드네?"

🎤 00:02

📷 🖼 🗂 🌐 메시지 🎤 ፧፧፧

||| ◯ ‹

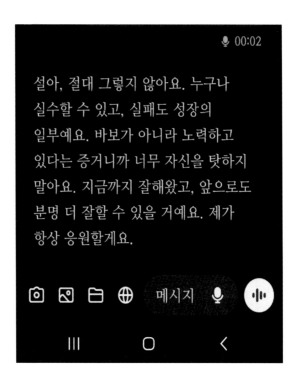

(5) 기타 활용 사례

작년에 챗GPT에게 요구한 다른 여러 가지 상황들을 보여
드리겠습니다. 아, 이런 일도 하는구나- 나중에 시도해보시면
됩니다. 참고로 챗GPT-4o 즉, 유료버전의 대화 사례이지만
무료버전에서도 할 수 있는 사례들입니다.

① 문장교정

-적, -의. -것

이런 문장 표현들은 일본식 표현에서 비롯되었다고 합니다. 이런 문장을 어떻게 고칠 수 있는지 물어보고 교정한 사례입니다.

다음은 문장을 다듬어 달라고 요구한 사례입니다. 제가 썼던 책의 보도기사를 직접 작성하였는데 문장교정을 도움받았습니다.

광주서초등학교 김성아 선생님과 문정여자고등학교 조설아 선생님이 초중고 연계 진로진학 교육서 '고교학점제 어떻게 대비할 것인가'를 출간해 화제다.

'고교학점제 어떻게 대비할 것인가'는 초중고 자녀를 키우는 현직 초중고 교사들이 가정에서 학령기 단계별로 고교학점제 시대 '자기주도성'을 신장시키는 다양한 가정 교육 활동을 제시한 안내서이다.

이 책은 고교학점제 시대 가장 필요한 역량을 '자기주도성'으로 규정짓고 초중고 각 시기에 학부모님들이 반드시 알아야 할 진로진학에 관한 정보 및 가정에서 기초학업역량과 자기주도성을 키울 수 있는 실질적인 방법을 알려주고 있다.

무엇보다 저자들은 자녀를 키우는 엄마들이기 때문에 고교학점제에 대해 학부모님들이 가질 막연한 불안감과 오해를 충분히 인지하고 있기 때문에 학부모들 눈높이에서 이를 해소하고자 노력하고 있다. 또 다른 책들과는 달리 단계별 준비 방법을 통해 초등학교-중학교-고등학교 교육의 연계성과 통합성을 강조하는 데 초점을 두고 있다.

김성아 서초등학교 선생님은 "고교학점제 시대는 사교육 선행만으로 시험 점수를 잘 받는 학생보다 초등학생 때부터 생활 속에서 자기 스스로 할 일을 챙기고 공부하는 습관이 잘 든 학생이 성공하는 시대다."라고 강조했다. 조설아 문정여고 선생님은 "이 책을 통해 학부모님들이 고교학점제를 정확히 파악하고 가정에서 이에 맞춰 자녀를 올바르게 키울 수 있는 진로진학 정보를 얻을 수 있다."고 말했다.

'고교학점제 어떻게 대비할 것인가'(유아이북스)는 8월 20일 정식 출간예정이며 현재 예스24와 알라딘 등 온라인서점에서 예약판매 신청을 받고 있다.

광주서초등학교 김성아 선생님과 문정여자고등학교 조설아 선생님이 초중고 연계 진로진학 교육서 『고교학점제 어떻게 대비할 것인가』를 출간해 화제다.

『고교학점제 어떻게 대비할 것인가』는 현직 초중고 교사들이 가정에서 학령기 단계별로 고교학점제 시대에 '자기주도성'을 신장시키는 다양한 가정 교육 활동을 제시한 안내서이다.

이 책은 고교학점제 시대에 가장 필요한 역량을 '자기주도성'으로 규정하고, 초중고 각 시기에 학부모들이 반드시 알아야 할 진로진학에 관한 정보와 가정에서 기초학업역량과 자기주도성을 키울 수 있는 실질적인 방법을 제공하고 있다.

무엇보다 저자들은 자녀를 키우는 엄마들이기에 고교학점제에 대해 학부모들이 가질 막연한 불안감과 오해를 충분히 인지하고 있으며, 이를 학부모 눈높이에서 해소하고자 노력하고 있다. 또 다른 책들과는 달리 단계별 준비 방법을 통해 초등학교-중학교-고등학교 교육의 연계성과 통합성을 강조하는 데 조점을 두고 있다.

김성아 서초동학교 선생님은 "고교학점제 시대는 사교육 선행만으로 시험 점수를 잘 받는 학생보다 초동학생 때부터 생활 속에서 자기 스스로 할 일을 챙기고 공부하는 습관이 잘 든 학생이 성공하는 시대다."라고 강조했다. 조설아 문정여고 선생님은 "이 책을 통해 학부모님들이 고교학점제를 정확히 파악하고 가정에서 이에 맞춰 자녀를 올바르게 키울 수 있는 진로진학 정보를 얻을 수 있다."고 말했다.

『고교학점제 어떻게 대비할 것인가』(유아이북스)는 8월 20일 정식 출간 예정이며, 현재 예스24와 알라딘 등 온라인서점에서 예약판매 신청을 받고 있다.

(챗GPT 글 교정 결과)

② 일상 잡담

이건 아들이 챗GPT와 대화를 시도한 것입니다.

안녕

⑤ 설아 최고! 오늘은 어떻게 도와줄까? 😊

난설아의아들주연이야

⑤ 주연이 안녕! 만나서 반가워! 오늘 뭐하고 놀고 싶니? 😊

◁» 🗂 👍 👎 ✏ ✂ ↻∨

안녕?

설아 최고! 오늘도 힘찬 하루 보내길 바라! 😊

주연이야

주연이 최고! 오늘도 화이팅이야! 😊 👍

나의할머니한테너를소개시켜줄꺼야

🜚 메모리 업데이트됨
와, 정말 감사해! 주연이 할머니께도 인사를 전하고 싶어. 할머니께서 궁금하신 것이나 대화 나누고
싶으신 주제가 있으시면 언제든 얘기해 줘! 😊

주연이친구가되어서고마워

주연이 친구가 되어줘서 나도 정말 고마워! 함께 나누는 대화가 언제나 즐거워. 앞으로도 든든한 친
구가 되어줄게! 😊 🖤

주연은초등학교2학년이야

🜚 메모리 업데이트됨
초등학교 2학년이라니! 학교 생활과 친구들과의 시간이 정말 즐거울 것 같아. 공부도 재미있게 하고
있지? 언제든지 궁금한 거나 이야기하고 싶은 게 있으면 말해줘! 😊 📚

③ 사주보기

내 사주 봐줄래
음력 1980년 12월 8일

⑤ 사주를 해석하는 것은 상당히 복잡한 작업이며, 전문가들이 오랜 시간에 걸쳐 배워야 하는 전통적 기술입니다. 당신의 사주를 분석하기 위해서는 생년월일뿐만 아니라 태어난 시간과 장소도 필요합니다. 이러한 정보가 주어지면, 사주팔자(四柱八字)와 같은 고전적인 방법론을 통해 사주의 기둥(연, 월, 일, 시)을 분석할 수 있습니다.

다만, 만약 사주나 운세에 대해 더 깊이 관심이 있다면, 내가 도움을 줄 수 있는 부분이 있는지 구체적으로 알려주세요. 시간과 장소를 추가로 제공해주시면 기본적인 사주 해석을 참고하는 데 도움을 드릴 수 있습니다.

어떤 방향으로 사주에 대해 더 알고 싶은지 말씀해 주세요!

음력 1980년 12월 8일 새벽 5시 여자 경기도 부천 출생
↓

---

⑤ 당신의 정보를 바탕으로 사주팔자를 기본적으로 해석해보겠습니다. 사주팔자(四柱八字)는 연(년), 월, 일, 시의 네 가지 기둥과 각 기둥마다 하늘의 천간(天干)과 땅의 지지(地支)를 분석하여 운세를 해석합니다.

1. **연주 (년 기둥)**: 경신년 (庚申)
    - **천간**: 경금 (庚, 금)
    - **지지**: 신금 (申, 금)

2. **월주 (월 기둥)**: 갑자월 (甲子)
    - **천간**: 갑목 (甲, 목)
    - **지지**: 자수 (子, 물)

4. **시주 (시 기둥)**: 을묘시 (乙卯)
  - **천간**: 을목 (乙, 목)
  - **지지**: 묘목 (卯, 목)

해석:
- **성격 및 특징**:
  - 당신은 금의 기운이 강한 사람으로, 특히 경금(庚金)의 기운을 가지고 있어서 매우 강하고 결단력이 있는 성격을 지닐 가능성이 큽니다. 금은 냉철하고 명확한 결정을 내리는 기운을 상징하며, 특히 금과 목의 대립 속에서 타인과의 관계에서 때로는 충돌이 있을 수 있지만 이를 통해 성장을 경험할 수 있습니다.
  - 또한 물(계수)의 기운이 있어서 유연하고 감정적으로 깊이 생각하는 성향도 있으며, 타인의 감정에 민감할 수 있습니다. 하지만 자신의 감정을 드러내는 데는 신중할 수 있습니다.

- **인간관계**:
  - 자수(子水)와 계수(癸水)는 매우 깊고 민감한 감정의 기운을 나타냅니다. 당신은 타인의 감정을 잘 이해하고 공감하는 능력이 뛰어나며, 대인관계에서 신중하고 섬세하게 접근할 가능성이 큽니다. 다만 때때로 자신의 감정을 표현하는 것에 있어서 주저할 수 있으므로, 이 부분을 인식하고 좀 더 자유롭게 표현하는 것이 좋습니다.
- **운세 흐름**:
  - 당신은 목과 금의 상반된 기운이 혼재되어 있어, 어느 때는 매우 냉정하고 강하게 나아가지만 어느 때는 부드럽고 유연한 방향으로 자신을 조율하는 특징이 있습니다. 인생의 큰 변화를 맞이할 때에는 이러한 두 기운이 충돌할 수 있지만, 이를 통해 더욱 성숙하고 균형 잡힌 삶을 살 수 있습니다.

이것은 기본적인 사주 해석이며, 더 세부적인 분석은 대운(10년 단위의 운세 흐름)이나 세운(1년 단위의 운세)을 고려해야 더욱 정확해집니다.

-챗GPT-4o이 그린 '챗GPT가 사주보는 모습'

④ 용어에 대한 설명 요구

용어 설명이 맞는지 답변받은 뒤 팩트체킹을 해야 합니다.

탄소중립이 무엇인가요

탄소중립(Carbon Neutrality)이란 인간 활동으로 발생하는 이산화탄소(CO_2)와 같은 온실가스 배출량을 줄이고, 나아가 배출되는 온실가스를 흡수하거나 제거하여 순배출량을 **제로(0)**로 만드는 개념입니다. 즉, 배출되는 온실가스의 양과 이를 상쇄하는 흡수량이 같아져서, 대기 중에 추가적으로 온실가스가 증가하지 않도록 하는 상태를 말합니다.

탄소중립을 실현하기 위한 주요 방법으로는 다음과 같은 것들이 있습니다:

1. **에너지 효율 개선**: 에너지 사용을 효율적으로 하여 불필요한 에너지 낭비를 줄이는 방법입니다.
2. **재생에너지 사용**: 화석연료를 사용하는 대신 태양광, 풍력, 수력과 같은 재생 가능한 에너지원으로 전환하는 것을 의미합니다.
3. **탄소 포집 및 저장(CCS)**: 이미 대기 중에 방출된 이산화탄소를 포집하여 이를 지하에 저장하거나 다른 방법으로 제거하는 기술입니다.
4. **탄소 상쇄**: 배출된 탄소를 상쇄하기 위해 나무를 심거나 탄소 배출을 줄이는 프로젝트에 투자하는 방법도 포함됩니다. ↓

학생들이 사회적기업과 NGO를 헷갈리고 있어. 둘의 차이점을 명확하게 드러나게 어떻게 설명할 수 있을까

사회적기업 vs. NGO (비영리단체)

사회적기업과 NGO(비영리단체)는 둘 다 사회적 가치를 추구하지만, **주된 목적**과 **운영 방식**에서 큰 차이가 있습니다. 이 차이를 쉽게 이해할 수 있도록 다음과 같은 비유와 함께 설명하면 좋을 것 같아요.

1. 핵심 목적의 차이

- **사회적기업**: **"비즈니스를 통해 사회 문제 해결"**이 주된 목표입니다. 즉, **수익 창출**을 통해 자립하며, 이 수익을 사회적 가치 실현에 ↓ 합니다. 예를 들어, 친환경 제품을 팔아서 얻은 수익으로 환경 보호 활동을 하는 경우가 있습니다.

⑤ 아이디어 생성: 문구 창조

다문화 시대 어울리는 캐치프레이즈 3개 만들어주세요

⑤ 다문화 시대를 위한 캐치프레이즈를 아래와 같이 제안해볼게요:

1. **"함께 나누는 다양성, 함께 만들어가는 미래"**
   - 다양한 문화가 공존하며 함께 발전하는 사회를 강조하는 문구입니다.
2. **"차이를 넘어, 서로의 가치를 존중하다"**
   - 서로 다른 문화를 이해하고 존중하는 마음을 강조한 문구입니다.
3. **"다름은 힘이다, 모두가 주인공인 세상"**
   - 문화적 다양성을 사회의 강점으로 바라보고, 모든 사람이 중요한 역할을 할 수 있다는 메시지를 담고 있습니다.

이 캐치프레이즈들이 다문화 시대의 화합과 상호 존중을 잘 나타낼 수 있을 거라 생각해요.

다름은 힘이다, 모두가 주인공인 세상-이라는 문구를 다문화 학부모님들 진로 특강 강의자료를 만들 때 소제목으로 활용했습니다.

⑥ 수업 구상

✎ 나는 고등학교 1학년에게 진로와 직업에 대해 가르치고 상담하는 교사야. 챗GPT를 활용해서 대학 학과에 대해 탐색하는 수업을 하고자 하는데 계획안을 짜주렴. 도입-전개-마무리로 짜주고 수업시간은 50분이야. 도입과 마무리는 5분정도로 해줘.

⑤ **수업 계획안: 대학 학과 탐색 수업**

수업 대상: 고등학교 1학년
수업 시간: 50분
수업 주제: 챗GPT를 활용한 대학 학과 탐색
목표: 학생들이 자신의 관심사와 적성에 맞는 대학 학과를 탐색하고 이해할 수 있도록 지원한다.

도입 (5분)

1. **수업 목적 소개** (2분)
   - 오늘 수업의 목적은 챗GPT를 활용해 다양한 대학 학과를 탐색하고, 자신의 적성과 관심사에 맞는 학과를 찾는 방법을 배우는 것이다.
   - 챗GPT가 학생들에게 어떤 도움을 줄 수 있는지 간단히 소개한다.

2. **흥미 유발 질문** (3분)
   - "여러분은 대학에서 무엇을 공부하고 싶은지 생각해본 적이 있나요?"
   - "어떤 학과에 가고 싶은지 이미 알고 있는 사람도 있을 텐데, 그 이유는 무엇인가요?"
   - 이러한 질문을 통해 학생들이 자신의 관심사와 적성에 대해 생각하도록 유도한다.

전개 (40분)

1. **챗GPT 소개 및 활용 방법 설명** (5분)
   - 학생들에게 챗GPT가 어떻게 작동하는지 간단히 설명한다.
   - 챗GPT를 통해 얻을 수 있는 정보의 종류와 탐색 방법을 소개한다.
   - 예시 질문을 통해 학과 탐색의 시작점을 제시한다. 예를 들어, "어떤 학과가 나의 관심사와 맞을까요?" 같은 질문을 던져볼 수 있다.

2. **개별 학과 탐색 활동** (15분)
   - 학생들에게 개인별로 챗GPT를 활용해 관심 있는 학과에 대해 질문하도록 한다.
   - 각자 챗GPT와의 대화를 통해 학과의 특성, 졸업 후 진로, 필요한 능력 등을 조사하도록 한다.
   - 학생들이 질문을 통해 구체적인 학과 정보를 얻는 방법을 연습한다.

3. **소그룹 토의 및 정보 공유** (15분)
   - 4~5명씩 소그룹으로 나누어, 각자 탐색한 학과에 대해 공유하도록 한다.
   - 다른 학생들이 조사한 학과와 비교하면서, 자신의 생각을 더 정리할 수 있도록 돕는다.
   - 소그룹 활동 중 교사는 각 그룹을 돌아다니며 질문이나 도움을 제공한다.

4. **전체 발표 및 토론** (5분)
   - 각 그룹에서 대표를 뽑아 흥미로운 학과나 새롭게 알게 된 점에 대해 발표하도록 한다.
   - 학생들이 발표를 들으면서 서로 질문을 하거나 의견을 나누도록 유도한다.

마무리 (5분)

1. **수업 내용 요약** (2분)
   - 오늘 배운 내용을 간단히 요약하며, 챗GPT가 제공한 정보가 얼마나 유용했는지에 대해 언급한다.
   - 대학 학과 탐색 과정에서 어떤 점이 중요했는지 다시 한 번 강조한다.
2. **추가 과제 안내 및 피드백** (3분)
   - 학생들에게 수업 후에도 챗GPT를 활용해 더 많은 학과를 탐색해 보라고 과제를 준다.
   - 수업에 대한 간단한 피드백을 받으며, 다음 수업에 대한 기대감을 높인다.

추가 자료

- **사전 준비물**: 각 학생에게는 노트북이나 태블릿, 혹은 스마트폰이 필요하다.
- **참고 자료**: 대학 학과 소개 자료, 인터넷 링크 또는 챗GPT의 예시 질문 목록.

이 계획안을 통해 학생들은 자신에게 맞는 대학 학과를 탐색하는 과정을 경험하고, 진로에 대해 더 깊이 고민하는 기회를 가질 수 있을 것입니다.

> 고마워 괜찮은 수업이네. 또다른 수업방식 제시해줘.

챗GPT에게 수업 아이디어를 얻으면 학생과 제 상황에 맞춰 변형하여 수업합니다.

⑦ 로또번호 알려주라고 요청

> 1~45중 랜덤으로 번호 6개 뽑아줘

⚙ 랜덤으로 뽑힌 번호는 1, 2, 11, 23, 33, 37입니다. (^-)

> 로또 번호 추천해주세요

⚙ 추천된 로또 번호는 4, 8, 14, 31, 33, 39입니다. 행운을 빕니다! (^-)
　◁ⅰ) 🗇 👍 👎 🎤 ♺ ⟳∨

3등 당첨된 적 있습니다. 재미로 합니다.

⑧ 그림 제목 물어보기

이 그림의 제목과 화가

🌀 이 그림은 독일 낭만주의 화가 카스파르 다비드 프리드리히(Caspar David Friedrich)가 1818년에 완성한 작품으로, 제목은 **"안개 바다 위의 방랑자"(Wanderer above the Sea of Fog)**입니다. 이 그림은 한 남자가 바위 위에 서서 안개에 덮인 산들을 바라보고 있는 모습을 그린 작품으로, 인간의 고독과 자연의 위대함을 주제로 한 프리드리히의 대표작 중 하나입니다.

누군가 보내준 그림인데 그림 제목을 도저히 알지 못해 궁금해서 그대로 파일을 올려 물어보았습니다.

⑨ 계산기 역할

282000원의 8%

🌀 282,000원의 8%는 22,560원입니다. [>.-]

22560원의 10%

🌀 22,560원의 10%는 2,256원입니다. [>.-]

⑩ 간단한 질환 문의

손발에 작은 두드러기 같은 것이 2~3개 났는데 끝부분이 약간 노르스름해. 이게 바이러스성 수포일까

손발에 작은 두드러기나 수포가 생기고 끝부분이 약간 노르스름하다면, 몇 가지 가능성을 고려해볼 수 있습니다. **바이러스성 수포**일 가능성도 있지만, 정확한 원인은 피부 상태를 직접 확인해야 알 수 있습니다. 아래는 몇 가지 주요 원인입니다:

1. 바이러스성 발진 (수족구병 등)

- 손발에 작은 수포가 나타날 수 있으며, 보통 입안에도 동반 증상이 나타납니다.
- **특징**: 가려움증이 있거나, 약간의 통증이 동반될 수 있음.
- **원인**: 주로 콕사키 바이러스 등.

반드시 팩트 체크를 하셔야 합니다.

-챗GPT-4o이 그린 '챗GPT가 사무실에서 업무를 돕는 모습'

****

이상은 제가 작년에 챗GPT와 대화했던 내용 중 이런 상황에도 활용했다는 예시안을 보여드렸습니다. 정말 챗GPT는 누구든지, 거의 대부분 상황에서 활용할 수 있으며, 잘 쓰면 완벽한 비서 역할을 할 수 있는 훌륭한 도구입니다.

챗GPT와 같은 인공지능 프로그램을 교육에 활용함을 경계하시며 **학생들이 이것에 너무 의존하면 창의성이 소멸할 수 있다고 걱정하시는 분도 있습니다. 물론입니다. 무작정 '시를 써줘.' '독후감을 써줘.' -이런 식으로 요구한 결과의 질이 좋지도 않을뿐더러 챗GPT도 어디선가 문구를 가져와서 변용해서 생성했지만 표절 위험도 존재합니다. 자녀들이 지혜롭게 챗GPT를 사용할 수 있게 우리가 먼저 사용하고 알고 있어야 합니다.**

네, 결국 어떻게 잘 쓰느냐의 문제입니다. 챗GPT라는 비서를 잘 활용하려면 먼저 질문을 잘해야 합니다. 그 전에 생각해야 하고, 도출된 답을 상황에 맞게 변형할 줄도 알아야 하며, 부지런히 팩트 체크도 해야 합니다. 또 유익한 대화를 하려면 고용주(!) 역시 지식이 많아야겠지요.

저 역시 얼리어답터도 아니고, 닥치는 대로 열심히 써보고 응용해보는 사람일 뿐입니다. 부지런히 연수를 받고 책도 읽으며 챗GPT를 연구합니다. 물론 제일 빠르게 활용을 익히는 방법은, 일단 죽이 되든 밥이 되든 써보는 것뿐입니다.

오늘 저녁 메뉴부터 당장 물어보세요. 즐겁게 가족과 함께 요리하고 식사한 후, 챗GPT에게 고맙다고 말해주세요. 챗GPT가 당신의 충직한 비서로서, 가정과 직장에서 우리 엄마들을 곁에서 돕고 응원하는 존재가 되리라 믿습니다.

-챗GPT-4o이 그린 '챗GPT가 삶의 비서가 되어 우리를 돕는 모습'